Les Filles de la Lune
Tome 4

Le Parchemin secret

Déjà parus dans la même série

1. *Déesse de la nuit*
2. *Dans le froid de l'enfer*
3. *Les Ombres de la nuit*

LYNNE EWING

Les Filles de la Lune
Tome 4

Le Parchemin secret

Traduit de l'anglais (États-Unis) par Emmanuel Pailler

Jeunesse

ISBN 2 268 05437 3

Pour Mair Jack Mayesh

Prologue

Jadis, les ténèbres régnaient sur la nuit. Les gens, apeurés, restaient dans leur refuge du crépuscule à l'aube. La déesse Sélène vit leur crainte et donna la lumière au monde nocturne, en traversant le ciel étoilé sur son char lunaire. Elle suivait son frère Hélios qui chevauchait le soleil ; ses rayons éclairaient la terre en se reflétant sur le splendide véhicule céleste de Sélène. La déesse était fière d'avoir réconforté les hommes grâce à sa lumière.

Mais une nuit que Sélène avait abandonné son char pour visiter la terre, elle remarqua que les gens perdaient tout espoir dans les situations difficiles. Sélène réfléchit à ce problème, et fit alors de la lune le plus beau cadeau des dieux.

À partir de cette nuit-là, elle fit le tour de la terre : chaque jour, elle reflétait les rayons du soleil sous un angle différent. Ainsi, la lune offrait un visage sans cesse changeant. Chaque soir, les gens voyaient décroître, puis disparaître complètement, sa lumière. Après trois nuits de ténèbres, un croissant argenté réapparaissait et la lumière lunaire revenait, aussi brillante qu'avant. Sélène voulait ainsi rappeler aux hommes que les périodes les plus sombres menaient à la clarté.

Les anciens apprécièrent le don de Sélène, et l'exprimèrent dans le calendrier lunaire. Chaque nuit, en contemplant la lune, il se rappelaient le message de la déesse : ne jamais perdre espoir.

Chapitre 1

Catty s'arrêta au pied de l'escalier et contempla le panneau à l'entrée du bâtiment. Elle voulut faire demi-tour et s'enfuir, mais Kendra lui prit la main pour la rassurer. Sur la voie rapide, la circulation emplissait l'air torride d'un bruissement de vagues. Catty aurait voulu être à la plage… n'importe où, mais pas là.

Avant le coup de téléphone, elle avait vécu la journée la plus pénible de sa vie. Elle avait déclaré à Kendra en riant qu'il y avait un seul point positif : ça ne pouvait pas être pire. Et puis le téléphone avait sonné. Et voilà que tous ses problèmes à l'école paraissaient futiles, désormais.

– Allez, entrons, lui dit doucement Kendra.

Elle serra les mâchoires, résolue, et rajusta son sac sur son épaule. Le coup de téléphone l'avait émue, elle aussi, mais face aux difficultés, elle agissait toujours.

Catty obéit. Devant elle se dressait la morgue du comté de Los Angeles.

Kendra lui effleura le bras :

– Ce n'est probablement pas ta mère, de toutes façons.

Catty jeta un œil à l'enveloppe marron où elle avait griffonné le nom de la femme. Zoe Reese. S'agissait-il de sa mère ? Elle chuchota le nom à nouveau, dans l'espoir d'avoir une réminiscence. En vain.

– Je suis sûre que c'est une erreur, ajouta Kendra.

C'était une femme de forte corpulence, avec des pommettes hautes et de longs cheveux bruns striés de gris.

Catty l'adorait. Kendra était la seule mère qu'elle ait jamais connue. La jeune fille s'était souvent demandé quelle vie elle avait menée avant que Kendra la découvre dans le désert de l'Arizona, marchant le long d'une route. Elle avait six ans. Au moment où Kendra s'était arrêtée pour lui demander si elle était seule, Catty ne connaissait même pas son propre nom. C'était Kendra qui l'avait nommée ainsi. Catty se souvenait de deux choses seulement : un accident, et une explosion. Elle ne savait rien de sa véritable mère. Aurait-elle enfin une réponse ? Elle se demanda si elle se verrait dans le visage de sa mère.

Peut-être pourrait-elle enfin rassembler les morceaux de son passé et découvrir ses origines. Brusquement, Catty ressentit une douleur, comme si une blessure d'enfance se rouvrait en elle. Si sa mère avait vécu à Los Angeles toutes ces années, pourquoi ne l'avait-elle jamais contactée ?

Catty suivit Kendra. Elles traversèrent une grande esplanade bétonnée et arrivèrent devant une double porte en verre. À l'intérieur, elles furent saisies par une bouffée d'air froid, chargé de l'odeur alcoolisée des antiseptiques. Catty sentit ses mains trembler. Elle les enfouit dans ses poches.

Kendra se dirigea vers le guichet d'accueil, passant devant les plaques fixées aux murs. Elle releva ses lunettes de soleil sur son front et sortit celles pour lire, puis tapota avec impatience sur la cloison en verre, faisant tinter ses bracelets.

– Vos services ont appelé ma fille, dit-elle.

La réceptionniste leva les yeux. Elle affichait une expression étudiée, une sorte de sourire compatissant. Tout à coup, elle vit Catty et son visage changea :

– Ils l'ont appelée ?

– Ils ont appelé ma fille pour l'informer du décès de sa mère, confirma Kendra.

Le visage de la réceptionniste se ferma.

Kendra lui expliqua :

– Je ne suis pas sa mère naturelle.

– Ah bon, répondit l'employée, en exprimant de nouveau la même tristesse compréhensive. Il vous faudra contacter une maison de pompes funèbres et vous entendre avec elle pour récupérer le corps.

Kendra posa sa main aux ongles longs et rouges sur la paroi de verre, comme pour souligner ses paroles :

– Je ne comprends pas ce qui vous fait croire que cette femme est sa mère. J'ai parlé avec la personne qui appelait, et tout ce qu'elle m'a donné, c'est un nom et une adresse…

– Ils n'appellent jamais sans preuve, affirma calmement la réceptionniste.

– Et si nous pouvions la voir ? proposa Kendra. Il y a peut-être une ressemblance…

Catty tressaillit. Elle ne pensait pas avoir le courage de contempler le visage de cette femme. Les larmes lui vinrent aux yeux. Elle voulut déglutir, mais sa bouche était trop sèche. Elle avait toujours cru qu'elle verrait sa mère un jour, mais pas dans ces circonstances.

– Je suis désolée, dit la réceptionniste, l'air réellement compatissant. Nous ne sommes pas équipés pour cela. Il vous faudra passer par une maison de pompes funèbres. Comme ça, vous pourrez…

– Vous ne comprenez pas, l'interrompit Kendra en s'efforçant de sourire pour dissimuler son agacement. Elle étreignit les perles de son collier. Catty savait qu'elle récitait intérieurement un mantra, pour trouver le calme. Kendra reprit, d'une voix plus sereine :

– Je n'ai aucune preuve que cette femme soit la mère naturelle de ma fille. Pourquoi contacterais-je des pompes funèbres ?

– Ils ont forcément une preuve, répondit la réceptionniste, sur la défensive. Ils n'appellent pas les gens au hasard.

– Je comprends. Tout ce que je demande, c'est à voir cette preuve.

Kendra prit Catty par la main. Elle dégageait des senteurs de bois de santal et de bruyère.

– Et si tu allais t'asseoir, le temps qu'on me réponde ? murmura Kendra à sa fille.

Catty alla s'asseoir sur l'une des chaises alignées contre le mur. Elle essaya de repenser à sa journée, dans l'espoir que ses problèmes à l'école la distrairaient.

Elle pensa à Chris, son nouveau copain, et son estomac se noua. Elle avait cru que tout était parfait entre eux, et voilà qu'aujourd'hui, au lycée, il lui avait paru distant. Est-ce qu'il avait voulu trouver les mots pour lui annoncer leur rupture ? Au déjeuner, il lui avait dit qu'il ne pourrait pas rester avec elle. Pourtant, ils mangeaient toujours ensemble. Après les cours, elle lui avait proposé de la retrouver au Planet Bang, mais il s'était montré indifférent. Il lui avait promis de l'appeler. Pour l'instant, rien.

C'était suffisant pour transformer la journée en désastre. Mais même avant, elle avait mal démarré. Au premier cours, M. Hall leur avait rendu leurs contrôles de géométrie. Elle avait eu un 5.

Ensuite, après la classe, sa meilleure amie Vanessa s'était mise en colère parce que Catty avait dit du bien de Michael Saratoga et de son groupe devant le nouveau copain de Vanessa, un type glauque nommé Toby. Tout le monde savait que Vanessa aimait toujours Michael, alors pourquoi est-ce qu'elle perdait son temps avec Toby ? Vanessa affirmait à Catty que Toby lui plaisait vraiment, mais elle ne l'avait jamais convaincue. Quand Vanessa flirtait avec lui, elle semblait chercher quelqu'un d'autre du regard – Michael, par exemple. Quand Toby la prenait dans ses bras, Vanessa n'avait jamais l'air complètement à l'aise. Lorsque Catty le lui avait fait remarquer, Vanessa s'était encore plus énervée. Malheureusement, Toby se trouvait dans les parages, et il avait entendu.

Catty soupira. Avant le coup de téléphone de la morgue, elle avait voulu se réconcilier avec Vanessa au Planet Bang. Elles étaient meilleures amies depuis longtemps : pas question de laisser un mec se mettre entre elles.

Là-dessus, Kendra l'avait étonnée. Elle n'avait pas cédé, et n'avait pas levé la punition qu'elle lui avait infligée. Depuis que Kendra avait commencé à enseigner le latin en cours du soir à l'université, elle comptait sur Catty pour tenir sa librairie en soirée : la ponctualité avait tout à coup pris une grande importance. Catty avait mis Kendra en retard deux fois, et à la troisième, Kendra avait accompli l'impensable : elle avait bel et bien interdit à Catty de sortir. C'était nouveau pour la jeune fille. Kendra l'avait toujours laissée faire ce qu'elle voulait : elle savait que Catty était différente des autres enfants.

Catty regarda Kendra, saisie de gratitude. Kendra essayait de l'aider à comprendre ses pouvoirs étranges. Elle l'avait même encouragée à pratiquer son don, comme elle l'appelait. Que serait-il arrivé à Catty si quelqu'un d'autre s'était arrêté dans le désert, ce jour-là ? Catty frissonnait rien qu'à l'idée de ce qui l'aurait attendue. Elle aurait peut-être terminé dans un show ou dans un musée.

Dès le début, Kendra avait supposé que Catty venait d'une planète lointaine, et que son pouvoir extraordinaire était une sorte de téléportation utilisée par son peuple. Elle l'avait mise en garde : il ne fallait parler à personne de ce talent inhabituel. Catty avait obéi, jusqu'au jour de sa rencontre avec Vanessa. Elle avait su immédiatement que Vanessa était différente, elle aussi, avec son amulette lunaire argentée pendue à son cou. Catty possédait le même talisman. Elle jeta un œil à son bijou, contemplant le visage de la lune gravé dans le métal. Elle portait ce charme au moment où Kendra l'avait trouvée. À la lumière des néons, il ne semblait plus argenté, mais opalin. Catty ne l'enlevait jamais.

Kendra se retourna et lui lança un regard pour voir comment elle allait. Catty voulut lui rendre son sourire, mais elle ne parvint qu'à une pâle imitation.

Si seulement elle avait le courage de dire la vérité à Kendra. Elle avait horreur d'avoir des secrets pour elle. Pourtant, les mots ne lui étaient jamais venus. C'était probablement plus facile de croire aux extraterrestres que d'accepter la véritable identité de Catty. Parfois, Catty pensait que Kendra serait déçue en apprenant la vérité. Kendra passait son temps sur Internet, à essayer d'en savoir plus sur les ovni, la Zone 51 et Roswell. Ces recherches semblaient l'amuser.

Catty observa Kendra, dont les joues se coloraient sous l'effet de la colère. Elle tripotait nerveusement les perles de son collier. Kendra la croirait-elle si elle lui disait la vérité… qu'elle était une déesse, une Fille de la Lune, venue sur terre pour protéger l'humanité contre les Suiveurs d'un mal ancien, l'Atrox ?

Catty avait connu son identité réelle quelques mois auparavant, quand des Suiveurs l'avaient enlevée, avant même qu'elle sache qui ils étaient. Heureusement, Vanessa et deux autres Filles de la Lune, Jimena et Séréna, étaient venues à son secours. Vanessa lui avait alors révélé la vérité, mais Catty ne l'avait pas crue… jusqu'au jour où elle avait rencontré Maggie Craven, une institutrice à la retraite.

« Tu es dea, filia lunae », lui avait dit Maggie en latin. À sa grande surprise, Catty avait compris la phrase. « Tu es une déesse, une Fille de la Lune. » Ces paroles provoquaient toujours en elle un frisson d'exaltation.

La voix de Kendra la ramena à la réalité.

– Quelle preuve avez-vous ? demandait-elle d'une voix forte et exaspérée.

Catty se leva et se dirigea vers elle, dans l'espoir de la calmer.

La réceptionniste jouait nerveusement avec son crayon :

– La personne qui vous a appelée aurait dû répondre à toutes vos questions.

– Nous ne partirons pas tant que vous ne nous aurez pas donné de preuve, lança Kendra d'un ton ferme.

Catty posa la main sur son bras. Ses muscles étaient tendus.

– Je vais appeler la sécurité, menaça la réceptionniste.

– Appelez-la, fit Kendra avec un grand sourire.

Elle savait très bien faire une scène, et se réjouissait de cette occasion.

La réceptionniste devait posséder une grande expérience du public. Elle sentit sans doute que Kendra ne bluffait pas. Au lieu de décrocher le téléphone, elle se leva, sortit de son guichet et se dirigea vers une porte marquée *Objets personnels*.

Kendra interrogea Catty du regard :

– On la suit ? …

Mais elle se dirigeait déjà vers la pièce. Elle entra sur les talons de la réceptionniste.

Catty frissonna dans l'air trop frais.

La réceptionniste échangea quelques chuchotements avec une autre employée. Celle-ci tira une enveloppe d'un classeur métallique et la lui tendit.

– Voici. (La réceptionniste montra une feuille de papier chiffonnée à Catty et Kendra.) On l'a retrouvée dans les poches de la femme.

Kendra s'en saisit.

– C'est un contrôle de géométrie, marmonna Cattty. Le mien.

Kendra étudiait le papier. Catty regardait par-dessus son épaule.

Le nom et l'adresse de Catty figuraient au verso, griffonnés à la hâte par la jeune fille. Au-dessus, une autre personne avait écrit : *En cas d'urgence, contacter ma fille.*

Kendra tournait et retournait le papier.

Catty reconnaissait son écriture, mais depuis quand décrochait-elle des 18 en géométrie ? Tout à coup, elle vit la date du contrôle. Dans une semaine. Son cœur se mit à battre la chamade.

Sidérée, Kendra posa son pouce sur la date, puis leva les yeux vers sa fille, l'air encore plus surpris.

– Qu'est-ce qu'il y a ? demanda Catty.

– Ton amulette lunaire. Elle change de couleur, chuchota Kendra, comme fascinée. C'est peut-être ta mère, murmura-t-elle encore. Peut-être que l'amulette brille quand tu es près de ta vraie mère.

Kendra croyait que l'amulette était une sorte d'instrument qui guiderait Catty lors de son retour chez elle, dans l'espace.

Catty serra la main sur son talisman. Il vibrait dans sa paume. L'objet ne réagissait ainsi qu'en présence de Suiveurs de l'Atrox. Était-elle en danger ? Elle se retourna. Rien. Si seulement Vanessa était là…

Kendra écarquilla les yeux. Avait-elle remarqué quelque chose ? Tout à coup, Catty comprit. L'atmosphère avait changé. Catty éprouva une sensation curieuse : autour d'elle, l'air se chargeait d'électricité statique.

Au plafond, les néons grésillèrent, faiblirent, puis se rallumèrent de plus belle.

– Il doit y avoir un problème de courant, hasarda la réceptionniste, mais Catty ne le pensait pas.

Le duvet sur ses bras se dressait, comme chargé d'électricité, mais c'était naturellement impossible. Un courant électrique avait besoin d'un conducteur et d'une source d'énergie. Il ne pouvait pas se transmettre dans l'air. Catty était peut-être nulle en géométrie, mais elle s'y connaissait assez en physique pour savoir ça.

Elle posa sa main sur le bras de Kendra. Une étincelle jaillit.

– Qu'est-ce que c'est ? chuchota Kendra.

À ce moment, la porte d'entrée s'ouvrit et trois hommes s'avancèrent d'un pas lent. D'aspect distingué, ils avaient des cheveux grisonnants et des yeux clairs profondément enfoncés dans leurs orbites. Tous trois portaient des costumes noirs impeccables.

Kendra se plaça devant Catty, comme pour la protéger.

Catty jeta un œil aux trois hommes. Le plus âgé arborait une moustache épaisse et se tenait exagérément droit, comme s'il portait un corset. Le deuxième, plus petit, avait un visage plein aux traits agréables. Il se tourna vers elle et sourit, les mâchoires crispées, révélant ses dents blanches. Ses yeux noirs croisèrent le regard de Catty. Tout à coup, celle-ci se rendit compte qu'elle était terrorisée. Le troisième semblait presque trop beau. Catty se demanda s'il portait un maquillage d'acteur, avec sa peau et ses cheveux parfaits.

Sans cette étrange aura électrique, et sans les vibrations de son amulette, Catty les aurait pris pour des employés de pompes funèbres, travaillant pour une star de Los Angeles. À présent, elle était certaine qu'il s'agissait de Suiveurs, bien différents de tous ceux qu'elle avait déjà vus. Ils étaient plus âgés, et ils semblaient trop parfaits : ils ressemblaient plus à des mannequins de cire qu'à des êtres de chair et de sang.

La plupart des Suiveurs que Catty avait rencontrés étaient des Initiés : des jeunes qui s'étaient tournés vers l'Atrox, espérant se montrer dignes de devenir des Suiveurs. Ils ne représentaient pas une menace pour elle, sauf en bande. Mais il existait d'autres Suiveurs, comme ceux-ci, puissants et rusés.

– Je dois retourner au guichet, dit la réceptionniste. Pensez à rendre le papier avant de partir.

Elle reprit sa place à l'accueil. Les trois hommes s'approchèrent d'elle.

Le plus vieux s'avança :

– Nous sommes venus chercher le corps de Zoe Reese, dit-il d'une voix douce.

Catty saisit la main de Kendra. Pourquoi des Suiveurs voudraient-ils le corps de sa mère ?

La réceptionniste soupira :

– Qui vous a appelé ?

– Personne, répondit l'homme. Je suis... j'étais son voisin. J'ai appelé la police pour signaler que j'avais retrouvé son corps dans l'arrière-cour. Je savais qu'elle était seule au monde, et j'espérais pouvoir m'occuper d'elle. Avec un sourire froid, il ajouta : Sauf si, bien sûr, vous avez réussi à retrouver un de ses proches.

– Nous avons déjà contacté le parent le plus proche.

La réceptionniste jeta un regard à Catty et Kendra mais n'ajouta rien.

– Alors peut-être... (L'homme s'arrêta et réfléchit un instant...) Peut-être pourriez-vous me donner son adresse, pour que je lui propose mon aide ?

– Je suis désolée, répondit la réceptionniste sur un ton officiel, mais je ne peux vous donner cette information.

Kendra tira Catty par le bras. Elles quittèrent la salle des objets personnels, traversèrent rapidement le hall et sortirent dans la lumière du soleil.

Elles s'avancèrent sur le parking. Kendra lança :

– Ne te retourne pas tant que nous ne sommes pas dans la voiture.

– Tu sais qui ils sont ? demanda Catty, étonnée.

– Ils viennent de la Zone 51, j'en suis sûre, avec leurs tenues impeccables. On pourrait croire que les militaires la joueraient profil bas, au lieu de se faire remarquer comme ça. Tu as vu comme leurs chaussures étaient cirées ? Ce n'est pas la première fois que je dois te protéger de cette engeance.

– Quelle engeance ?

Catty se demandait si Kendra avait déjà rencontré des Suiveurs comme ces trois-là.

– Des agents du gouvernement à la recherche d'extraterrestres, répondit Kendra d'une traite.

Elles montèrent en voiture. Kendra baissa aussitôt la vitre. Pourtant, l'air du dehors ne rafraîchissait guère l'habitacle.

– J'essaye de te protéger des agents du gouvernement, comme ces trois types, soupira Kendra. Je suis sûr qu'ils ont enlevé d'autres extraterrestres comme toi pour les disséquer. Ils ne rêvent que d'une chose : découvrir vos pouvoirs. Pourquoi faut-il que certains scientifiques éprouvent ce désir irrationnel de disséquer les créatures de Dieu ? Ils ne peuvent donc pas se contenter d'admirer leur beauté ?

Catty frissonna. Certains scientifiques seraient-ils réellement prêts à la disséquer pour découvrir l'origine de ses pouvoirs ?

Katty démarra et alluma la climatisation.

– Tu les as déjà vus ? demanda Catty.

– Pas depuis un bon moment. Ça a été vraiment dur, le jour où je t'ai trouvée dans le désert…

– Ils étaient là ?

Catty ne se souvenait pas d'eux.

– Non, mais le soir où nous nous sommes arrêtées à Yuma, la ville grouillait de types dans leur genre. Ils te cherchaient, ça sautait aux yeux. C'est pour ça que nous ne sommes pas restées : nous avons continué jusqu'à Palm Springs.

Catty se souvenait du trajet de nuit. Kendra lui avait chanté des berceuses pour la rassurer. Catty se rappelait aussi de l'étrange façon dont Kendra lui avait parlé au début : en parlant trop fort et en détachant toutes les syllabes. Elle ignorait si Catty comprenait l'anglais.

– Tu te souviens du jour où je t'ai trouvée sur le bas-côté de la route ? demanda Kendra.

– Oui.

– Tu était si mignonne… comment est-ce qu'on avait pu t'abandonner ? Je t'ai demandé ton nom, et tu n'as pas eu l'air de comprendre.

Catty se souvint de cet instant. Elle avait oublié son nom et tout ce qui lui était arrivé avant cette journée.

– Tu n'as pas répondu, alors j'ai pensé que tu étais mignonne comme un « pussycat », un petit chat. J'ai décidé de t'appeler Catty... ça a eu l'air de te plaire.

Catty sourit. Son nom lui plaisait, en effet.

Kendra reprit, tendrement.

– C'était un bon choix. Ça va bien avec ta personnalité. J'avais prévu de m'arrêter à Yuma pour t'y confier aux services sociaux... mais là, tu as fait quelque chose d'extraordinaire.

Quand Catty était petite, elle avait toujours demandé à Kendra de finir son histoire. « Qu'est-ce qui t'a fait penser que je venais de l'espace ? » lui demandait-elle, câline. Elle trouvait le récit de Kendra agréable et effrayant à la fois. Elle aimait croire qu'elle venait d'une race de créatures qui voyageait dans les galaxies, mais en même temps, elle avait peur que ses congénères viennent l'enlever à Kendra.

Kendra n'avait plus besoin d'encouragement pour achever son récit :

– Au moment où nous partions, tu m'as agrippée par l'épaule... et sans avertissement, nous nous sommes retrouvées dans une autre dimension. J'avais l'impression de flotter dans un tunnel sombre et infini, et tout à coup tu étais revenue sur la route où je t'avais trouvée, mais nous n'étions plus dans la voiture. J'étais terrifiée, mais je savais qu'il y avait forcément une explication rationnelle. À ce moment-là, j'ai décidé que tu venais d'une autre planète. Tu avais sans doute utilisé une sorte de téléportation.

Kendra n'avait jamais compris que Catty possédait en fait le don du voyage dans le temps. Comment réagirait-elle si elle l'apprenait ?

– Je me suis dit que pour une civilisation capable de traverser les galaxies, la vitesse de la lumière devait être un archaïsme, reprit Kendra. Idem pour la marche. En traversant le tunnel, tu devais essayer de reprendre contact avec ta famille. Cela m'a rendue triste pour toi. Ensuite, quand tu m'as parlé de tes souvenirs de l'accident et de l'incendie, j'ai supposé que ton vaisseau spatial s'était écrasé sur terre : ta famille s'était tuée dans le crash et tu t'étais retrouvée à errer dans le désert.

Catty se mordit la lèvre. Il fallait qu'elle parle à Kendra tout de suite.

– Kendra, il faut que je te dise... commença-t-elle – mais soudain, les trois hommes sortirent de la morgue.

Kendra les observa :

– À ton avis, qu'est-ce qu'ils ont fait à l'intérieur, pendant tout ce temps ?

– On y va ?

Catty sentait son amulette vibrer sur sa poitrine et savait qu'il était dangereux de rester.

Kendra passa la marche arrière, mais avec une lenteur agaçante, comme si elle hésitait sur la conduite à adopter : rester ou partir.

Enfin, elle dit :

– Cette femme doit être ta mère, Catty, et c'est pour ça que ces types essayent de récupérer son corps sans éveiller les soupçons. Ils ne peuvent pas se permettre un nouveau scandale de Roswell.

Éblouie par le soleil, elle abaissa ses lunettes noires.

– Nous aurions dû prendre l'enveloppe avec le reste. Elle contient peut-être quelque chose d'important.

Kendra tira le contrôle de géométrie de son sac et le tendit à Catty – qui ne l'avait pas vue conserver le papier.

– Les agents du gouvernement ! cracha Kendra. Les revoilà, après toutes ces années. Il va falloir faire attention, Catty. Plus que d'habitude. Je me demande même si nous sommes en sécurité ici. Nous devrions peut-être quitter Los Angeles.

Les paroles de Kendra évoquaient un avenir lourd de menaces.

Chapitre 2

Cette nuit-là, Catty se réveilla en sursaut, le cœur battant à tout rompre. Elle essaya de se rappeler son rêve, mais il semblait lui échapper. Seule lui restait l'impression insistante qu'elle devait faire quelque chose d'important...

La lune brillait par la fenêtre, baignant les murs d'une inquiétante lueur argentée. En regardant le fauteuil près de son lit, Catty éprouva la sensation étrange qu'une personne s'y était assise pour lui parler, mais surtout pour la mettre en garde. Que s'étaient-ils dit ?

Elle se frotta les yeux. Son inquiétude lui semblait bien réelle. Cela devait bien avoir une signification.

Rejetant ses couvertures, elle sortit du lit. Personne n'était entré dans sa chambre, se dit-elle pour se rassurer. Dans un coin, son chevalet portait son dernier tableau : un paysage au clair de lune. Sur son bureau, les crayons et les carnets à dessin n'avaient pas bougé.

Elle resta un long moment à écouter le silence, puis se leva et alla vers le fauteuil. Enfin, pour se persuader que personne ne s'y était assis, elle posa les mains sur le siège. La fausse fourrure était tiède. Elle retira sa main comme si l'objet était brûlant et observa sa chambre, incrédule. Ce devait être la chaleur laissée par le soleil dans la journée... pourtant, le rebord du fauteuil était froid.

Elle pensa à alors à Kendra, rassérénée. Combien de nuits Kendra s'était-elle assise à côté de son lit pour la rassurer ? Elle était sans doute entrée dans sa chambre pour vérifier que tout allait bien, et s'était assise. Elle lui avait peut-être parlé de son inquiétude au sujet des « agents du gouvernement ».

Catty respira plus calmement. Elle décida d'aller prendre un verre de lait au rez-de-chaussée.

Dans le vestibule, la lumière grise de la lune disparaissait, laissant place aux ténèbres. Catty attendit un instant que ses yeux s'accommodent, puis descendit l'escalier, étreignant la rampe.

À l'entrée de la cuisine, elle s'arrêta : elle venait de sentir un courant d'air froid. La porte arrière était ouverte. Un intrus avait-il pénétré dans la maison ? Mais pourquoi serait-il sorti sans fermer la porte ? Tout à coup, elle pensa à Kendra. Seule à l'étage. Elle fonça au premier. Haletante, elle ouvrit la porte de Kendra et alluma la lumière.

Kendra se réveilla en sursaut.

– Qu'est-ce qu'il y a ?

Catty entra lentement dans la chambre.

– Désolée de te réveiller, souffla-t-elle.

– Qu'est-ce qui s'est passé ? demanda Kendra. Ça va ?

– J'ai eu une idée dingue : j'ai cru que tu étais en danger.

– C'était le cas, répondit Kendra.

– Ah bon ?

Catty jeta un œil dans la chambre. Rien n'indiquait la présence d'un danger.

– Je faisais un de mes horribles cauchemars... (Kendra rit faiblement, mais Catty voyait bien que son rêve l'avait terrifiée.) Tu sais, quand tu n'arrives pas à te réveiller ?

– Oui. À quoi tu rêvais ?

– À ces types du gouvernement qu'on a vus à la morgue aujourd'hui, répondit Kendra.

– Qu'est-ce qu'ils faisaient ?

– Ils me poursuivaient parce qu'ils voulaient mettre la main sur toi. Ils voulaient voir mes souvenirs, mais je leur fermais mon esprit. (Kendra sourit :) Avec toutes mes séances de méditation, ça doit me monter à la tête. Ensuite, ils ont pensé qu'ils pourraient me faire avouer par la force. C'était vraiment réel. L'un d'eux m'a attrapée par le bras – et il ne voulait pas me lâcher. Je suis bien contente que tu m'aies réveillée.

Kendra dut lire l'inquiétude sur le visage de sa fille. Elle lui tapota la joue :

– Ne t'inquiète pas. C'était juste un rêve.

Catty ne sourit pas. Kendra reprit :

– D'ailleurs, ce rêve était sans doute l'expression d'une crainte bien réelle : celle que les agents du gouvernement mettent la main sur toi.

– Probablement, dit Catty – mais elle se demanda si ces nouveaux Suiveurs possédaient un pouvoir qu'elle ne connaissait pas encore. Pouvaient-ils s'infiltrer dans les rêves ? Ou s'agissait-il d'une simple coïncidence ? Elle saisit la main de Kendra, comme pour la protéger.

– Je tiens à toi, mon bébé, murmura Kendra.

– Moi aussi, répondit Catty.

Kendra alla à la salle de bains se passer de l'eau sur le visage. Elle contempla son visage aux traits marqués dans la glace. Son regard avait encore du charme, son nez et ses pommettes la rendaient attirante – mais rien de comparable aux photos encadrées sur sa commode.

Kendra jeta un œil à son bras.

– Tiens, c'est bizarre.

– Quoi ?

– Regarde, fit Kendra en lui tendant son bras.

Catty l'examina. Quatre ecchymoses circulaires marquaient la peau.

– J'ai dû me faire ça en dormant, murmura Kendra, étonnée.

– Oui... dit Catty – mais elle sut avec certitude, l'estomac noué, que Kendra ne se l'était pas fait en dormant.

Les Suiveurs l'avaient retrouvée dans ses rêves.

– Et si je passais le reste de la nuit ici ? proposa Catty.

– D'accord.

Kendra avait répondu tellement vite que sa fille comprit qu'elle craignait de rester seule. Soudain, elle se rappela que la porte arrière était encore ouverte.

– Je vais nous chercher du lait, annonça Catty en quittant la chambre.

Elle ne voulait pas inquiéter Kendra. D'ailleurs, c'était sans doute le vent qui avait ouvert la porte.

– Bonne idée, fit Kendra.

Catty descendit l'escalier quatre à quatre et ferma la porte. En tournant le verrou, elle aperçut les photos des nièces et neveux de Kendra, posées sur le frigidaire. Elle se dit tout à coup que Kendra avait sacrifié bien des choses pour la protéger. Kendra voyait rarement sa famille : elle craignait qu'ils devinent la nature extraterrestre de Catty. Elle ne fréquentait pas d'homme non plus, pour ne pas la mettre en danger. Pourtant, Kendra ne semblait jamais regretter ce qu'elle avait dû abandonner pour s'occuper de Catty. Celle-ci ressentit une grande reconnaissance, mais aussi de la tristesse. Kendra adorait ses nièces et neveux, et avait toujours voulu une grande famille. Catty espérait qu'en guise de remerciement, elle n'allait pas la mettre en danger.

Chapitre 3

La journée commença avec un incendie dans la passe de Sepulveda. Le temps que Catty arrive au lycée, trois nouveaux feux de brousse s'étaient déclarés sur les collines entourant Los Angeles. Les journalistes accusaient la sécheresse. L'air sentait la fumée, et de la cendre grise flottait sur La Brea.

Catty vit Vanessa appuyée sur les casiers, dans le couloir. Elle courut à elle. Comme Catty, Vanessa possédait un pouvoir spécial. Elle pouvait étirer sa structure moléculaire et devenir invisible. Mais elle ne contrôlait pas parfaitement ses molécules. Quand elle était trop émue ou agitée, celles-ci agissaient de manière indépendante. Cela avait compliqué ses premières relations avec Michael : chaque fois qu'il avait voulu l'embrasser, elle avait commencé à devenir invisible. Catty se demanda si elle éprouvait des difficultés à embrasser Toby. D'habitude, elle et Vanessa se disaient tout, mais Vanessa restait muette à son sujet.

– Salut, sourit Vanessa.

Ses longs cheveux blonds scintillaient à la lumière du soleil.

– Salut, répondit Catty en jetant un œil au ventre plat et bronzé de Vanessa.

Un caleçon blanc dépassait de son pantalon noir moulant. L'espace d'un instant, Catty se demanda s'il appartenait à Toby.

Vanessa posa ses yeux bleus sur Catty, inquiète :

– Pourquoi tu n'étais pas au Planet Bang, hier soir ?

– C'est une longue histoire, répondit Catty, heureuse que Vanessa ne soit pas en colère pour la veille.

– Raconte.

– Hé, salut !

Jimena les rejoignit, vêtue d'un T-shirt rouge et d'un jean.

Catty avait tatoué un croissant de lune et une étoile sur son bras. Jimena avait deux larmes tatouées sous l'œil. Les autres tatouages, souvenirs de sa période dans les gangs, étaient dissimulés sous ses vêtements. Jimena possédait aussi un don. Elle avait des prémonitions.

Jimena détailla la tenue de Vanessa et fit claquer l'élastique du caleçon :

– Tu essayes toujours de rendre Michael jaloux ? la taquina-t-elle. Ou alors, tu es devenue la *chavala* d'un autre type ?

– C'est un look, c'est tout, grogna Vanessa.

– Le caleçon, il est à Toby ? demanda Jimena tout sourire.

– Et alors ? grommela Vanessa en détournant le regard.

– Ouais ! s'écria Jimena. Je veux tout savoir !

Tout à coup, elle croisa le regard de Catty, et son sourire disparut.

– C'est un look, c'est tout, répéta Vanessa – mais Jimena n'écoutait plus : elle dévisageait Catty.

– Qu'est-ce qui ne va pas ? lui demanda-t-elle. Toi, tu as un gros souci. Pas besoin de prémonition, ça se voit sur ta figure.

Catty ouvrit la bouche, mais Séréna arriva, son étui de violoncelle à la main.

– Salut les filles ! cria-t-elle.

Séréna portait un anneau d'or dans le nez. Ses cheveux, longs et bouclés, flottaient sur ses épaules. Séréna était la meilleure amie de Jimena, mais leur relation avait connu un départ difficile. Elles ne s'étaient rapprochées qu'après leur combat contre un groupe de Suiveurs. À partir de ce moment, elles avaient appris à se faire confiance.

Séréna regarda Vanessa puis éclata de rire :

– Tu portes le caleçon de Toby ?

Vanessa jeta un œil inquiet autour d'elle :

– Tu veux que tout le monde le sache ?

– Les gens vont parler, c'est normal, répliqua Séréna.

Vanessa rougit.

– Mais non, je plaisante ! s'écria Séréna. Hé, vous êtes bien silencieuses... Qu'est-ce qui ne va pas ? Catty ?

Catty voulut parler :

– Je ne sais même pas par où commencer.

Ses amies se rapprochèrent.

Catty se mit à leur expliquer posément tout ce qui s'était passé à la morgue, la veille.

– Pourquoi est-ce que des Suiveurs viendraient à la morgue pour récupérer le corps de ma mère ? conclut-elle.

– Peut-être que c'est un nouveau groupe de Suiveurs et rien d'autre. Il va falloir nous en occuper, mais ça n'a rien à voir avec ta mère, suggéra Séréna.

– Oui, dit Vanessa. S'ils savaient pour ta mère, peut-être qu'ils sont allés à la morgue pour te surprendre.

– J'espère qu'ils ne me retrouveront jamais, frissonna Catty.

– Tu te souviens de ce que Maggie nous a dit ? intervint Jimena. Les Suiveurs ambitieux vont à Los Angeles pour y trouver les Filles de la Lune.

– C'est nous la récompense suprême, ajouta Séréna. S'ils attrapent l'une de nous, l'Atrox les récompensera en leur donnant accès au Cercle intérieur.

Catty les écoutait. Elle se demandait si sa mère ne s'était pas associée à ces Suiveurs, d'une manière ou d'une autre.

– Ils ne ressemblaient pas à des Suiveurs ordinaires, reprit Catty. Ils étaient vieux, déjà, et ils dégageaient une espèce d'aura à haute tension.

– Une sorte d'énergie maléfique ? demanda Vanessa.

– Non, on aurait dit que... (Catty réfléchit un instant.) Vous savez, quand vous passez la main sur un écran de télé ?

– Oui.

– Eh bien, c'était ça, conclut Catty. On aurait dit que la pièce était remplie d'électricité statique.

Elle sentit Séréna entrer dans son esprit pour mieux appréhender ce qu'elle disait. Comme ses amies, Séréna n'avait pas compris la nature de son pouvoir quand elle était petite. Elle savait simplement qu'elle était différente. Parfois, elle oubliait que les gens ne parlaient pas, et elle répondait à leurs pensées sans qu'ils aient ouvert la bouche. Cela lui arrivait encore, sous le coup de l'émotion.

Catty observa ses trois meilleures amies. Maggie les avait réunies et continuait à leur montrer comment se servir de leurs dons pour combattre l'Atrox et ses Suiveurs. Elle leur disait qu'elles représentaient une force invincible – pourtant, la plupart du temps, les quatre jeunes filles éprouvaient l'impression d'être contrôlées par leurs pouvoirs. Catty possédait le talent le plus étrange. Elle ratait beaucoup de cours, parce qu'elle manipulait sans cesse le temps. Pour l'instant, Vanessa était la seule à avoir voyagé avec elle.

Quelques instants plus tard, Séréna quitta l'esprit de Catty et la dévisagea :

– Monstrueux !

– C'est pas fini, coupa Catty.

– Ah bon ?

– La réceptionniste à la morgue nous a donné ceci. C'était dans les affaires de ma mère.

Catty sortit une copie chiffonnée : son contrôle de géométrie.

Jimena s'en saisit. Vanessa et Séréna lurent par-dessus son épaule.

– Regardez la date, chuchota Séréna.

– Waow, souffla Vanessa.

– Mais on n'a pas de contrôle prévu la semaine prochaine, si ? demanda Jimena.

– Non, reconnut Vanessa.

– En plus, tu n'as jamais eu de 18 en géométrie avant, s'amusa Séréna.

– Je sais.

Vanessa fronça les sourcils :

– Comment est-ce que ta mère a pu prendre un objet dans le futur, si elle est déjà morte ?

– C'est quand même bizarre, ajouta Séréna.

– Tu as pu avoir le reste de ses affaires ? demanda Jimena à Catty.

– Non.

– Peut-être que si tu avais pu, tu aurais eu des réponses. Tu as peut-être raté un indice important.

– Et si on demandait à Stanton ? intervint Séréna. Je suis sûre qu'il est courant, pour ces nouveaux Suiveurs.

Les autres la dévisagèrent.

– Enfin, peut-être, dit Séréna sur la défensive.

Catty savait que Séréna avait besoin d'une excuse de ce genre pour retrouver Stanton. Elle tenait toujours à lui, même si elle prétendait le contraire. Stanton était un Suiveur puissant qui lisait dans les esprits, manipulait les pensées et pouvait même emprisonner ses victimes dans ses souvenirs. Séréna était tombée amoureuse de lui. Elle ne le croyait pas maléfique, mais Catty ne s'était jamais faite à l'idée que Séréna sorte avec un Suiveur. Elle ne faisait pas confiance à Stanton, et pensait que Séréna les mettait toutes en danger en le voyant. Puis, soudainement, Stanton avait mis fin à leur relation. Il lui avait expliqué que c'était trop dangereux : si l'Atrox découvrait leur liaison, il enverrait des Régulateurs pour les détruire. Pour Séréna, cela montrait à quel point Stanton tenait à elle, mais Catty se demandait s'il ne s'agissait pas là d'une ruse pour gagner encore plus sa confiance.

– Alors, pourquoi vous vous taisez ? demanda Séréna en leur jetant un regard soupçonneux, comme si elle se doutait que ses amies avaient pitié d'elle.

– C'est pas une bonne idée, répondit Catty franchement, et c'est dangereux pour toi de traîner avec Stanton.

Séréna voulut répondre, mais Vanessa la coupa :

– M. Hall arrive.

M. Hall arrivait en effet, balançant son vieux cartable en cuir d'une main et faisant tinter ses clés de l'autre. Il arborait un crâne rasé avec de petites lunettes à monture noire, sous un nez crochu qu'il passait son temps à moucher.

– Bon, soyez vraiment prudentes en attendant de voir Maggie, dit Vanessa. Toi surtout, Catty. Promis ?

– Oui, dit Catty.

– Non, je veux dire : tu promets vraiment ?

– Pourquoi tu dis ça ?

– Parce que tu n'en fais jamais qu'à ta tête, même quand c'est dangereux, gémit Vanessa.

– C'est vrai, renchérit Séréna.

Mais non, voulut dire Catty – mais elle savait qu'elles avaient raison.

– D'accord, c'est promis.

M. Hall ouvrit la porte de la salle, et la classe entra.

Il posa sa serviette sur le bureau, puis prit une craie et écrivit une date sur le tableau noir. Sortant son mouchoir, il continua à gratter au tableau.

– La semaine prochaine, il y aura un contrôle, annonça-t-il.

Catty jeta un œil à la copie chiffonnée. La date correspondait à celle du tableau noir.

Elle se retourna vers Vanessa, les yeux écarquillés de stupeur.

– C'est la même date, chuchota Jimena, étonnée.

– Mais qu'est-ce que ça veut dire ? demanda Séréna.

– Mesdemoiselles ! intervint le professeur.

Catty regarda à nouveau sa copie, le cœur battant. Elle se demandait si un jour, elle pourrait enfin revenir dans le temps, jusqu'au moment où Kendra l'avait trouvée errant au bord de la route. Jusqu'à présent, lorsqu'elle avait essayé, elle s'était retrouvée bloquée dans le tunnel. Elle avait éprouvé une sensation de claustrophobie horrible, flottant dans le noir pendant des heures, avant de pouvoir se libérer. Pourtant, elle continuait à tenter l'expérience. Plus que tout, elle voulait voir sa mère.

Chapitre 4

Après la classe, Catty lança son livre de géométrie dans son casier. Elle allait prendre son manuel d'espagnol lorsqu'elle entendit quelqu'un arriver en courant. Une main la saisit par la taille. Elle se retourna. Chris se tenait derrière elle. C'était un type mignon, avec un sourire craquant et des cheveux hérissés. Il portait un jean baggy et des Reebok en cuir rouge.

Elle se plongea dans son regard clair. Comment pouvait-il lui plaire à ce point ?

– J'essaye de te voir depuis hier soir. Tu n'étais pas au Planet Bang.

Il l'attira à lui. Elle n'offrit aucune résistance. Elle aimait sentir son corps près du sien.

– Il s'est passé des choses.

Avant, elle lui aurait tout raconté, mais depuis hier, elle se sentait plus réservée.

– Tu m'as manqué, avoua-t-il.

Elle sentit un sourire involontaire passer sur son visage. Elle ne voulait pas lui montrer l'importance qu'il avait prise dans sa vie.

– Il y a un copain de l'orchestre qui organise une soirée, annonça-t-il.

Son sourire faisait briller ses yeux. Elle adorait ça.

– J'espérais que tu viendrais avec moi, reprit-il.

Une bouffée d'excitation la saisit. Elle faillit dire oui, mais à cet instant, il jeta un œil dans le couloir, comme s'il avait peur tout à coup qu'on les voie ensemble. Puis il referma sèchement son casier et attira Catty dans un coin, tout en regardant par-dessus sa tête, scrutant la foule de lycéens qui passaient à côté d'eux.

– Qui tu cherches ? lui demanda-t-elle.

Il rougit légèrement et reposa ses yeux sur elle.

– Qui je cherche ? Comment ça ?

– Tu regardes tout le temps à gauche et à droite, dit-elle d'un ton accusateur.

– Mais non.

– Mais si. Comme si tu avais peur qu'on nous voie ensemble.

Il écarta cette idée d'un rire, sans convaincre Catty. Elle avait entendu parler de types qui avaient trois ou quatre copines en même temps, comme une sorte de sport, mais Chris ne leur ressemblait pas. Pourtant, il se comportait de manière curieuse. Puis une autre idée lui vint. Chris venait d'arriver au lycée La Brea : il avait peut-être encore une copine à son ancienne école. Quelqu'un d'ici pouvait la connaître, et il ne voulait pas que cette personne le voie avec Catty.

– Tu as une autre copine ? lui demanda-t-elle brusquement.

Elle observa attentivement sa réaction.

– Non, dit-il sans détourner le regard, et elle le crut.

Il lui caressa la joue, et une sensation délicieuse l'envahit.

– Qu'est-ce qui te fait dire ça ?

– Je me demandais, c'est tout, répondit-elle.

Il sourit. Catty se détendit un peu. Comment pouvait-elle éprouver des soupçons pareils envers Chris ?

– Ça va être une fête géniale. Il y aura des tas de groupes, et tout le monde va venir.

Au moment où Catty allait lui dire oui, Chris regarda ailleurs.

– Je ne sais pas, murmura Catty.

Chris eut l'air blessé, ce qui fit beaucoup de peine à Catty. Elle aurait aimé lui dire oui, mais d'abord, elle voulait comprendre ce qui se passait.

– Pourquoi pas ? reprit-il. Tu sais qu'on va s'éclater. On s'amuse toujours bien, ensemble.

– Chris, il y a quelque chose que je veux te dire depuis hier...

– Bien sûr.

Il lui prit la main. Ce contact la fit frissonner de bonheur. Existait-il une autre fille au monde qui ressente le même plaisir ?

– Dis-moi, fit-il.

– Tu avais l'air... (Elle hésita, puis se lança :) Tu as changé. (Elle perçut une lueur dans son regard, une nervosité soudaine. Ainsi, il se comportait d'une manière différente, et il en était conscient.) Il y a un problème entre nous ?

– Non, tout va bien.

Elle sentit le mensonge dans sa voix.

– Dis-moi la vérité, répondit-elle tout simplement. Je croyais que nous partagions toujours tout.

Il ouvrit la bouche, mais juste à ce moment-là, Jimena, Séréna et Vanessa arrivèrent en courant.

Jimena parla la première. Elle semblait vraiment inquiète.

– Tu as disparu tout d'un coup ! On a eu peur qu'il te soit arrivé malheur.

– Qu'est-ce qui pourrait arriver ici ? demanda Chris, souriant.

– Des choses. (Vanessa se tourna vers Catty :) Tu étais à ton casier, et la seconde d'après, tu avais disparu.

– C'est moi qui ai entraîné Catty, répliqua Chris. Je suis désolé, je ne savais pas que ça allait faire un drame.

Séréna se força à sourire :

– On a cru qu'elle venait de se faire enlever, plaisanta-t-elle.

Catty, elle, savait qu'elle craignait l'intervention de ces nouveaux Suiveurs. Chris sourit :

– Je lui demandais juste de m'accompagner à une fête organisée par un copain de l'orchestre. Vous voulez venir aussi ?

– Bien sûr, répondit aussitôt Jimena.

– Ça pourrait nous changer les idées, ajouta Séréna en fixant Catty.

– Mais oui, dit Vanessa, l'air enthousiaste. Faut absolument que je leur montre mes nouveaux mouvements de danse, ceux que j'ai appris avec Toby.

Catty la dévisagea, étonnée. Ça ne ressemblait pas du tout à Vanessa. En général, cela la rendait nerveuse de danser.

– Eh bien ? demanda Chris. Qu'est-ce que tu en dis ?

– D'accord, je viendrai, soupira Catty, sans savoir si elle prenait la bonne décision.

– Super. (Chris l'embrassa sur la joue.) À plus.

Il fila vers la salle de répétition. Il jouait du tuba dans la fanfare.

– Qu'est-ce qui se passe, avec Chris ? demanda Jimena.

– C'est vrai, quoi, ajouta Séréna. Je croyais qu'il te plaisait.

– Il me plaisait, en effet – enfin, il me plaît, soupira Catty, mais ces derniers temps… J'ai l'impression qu'il voit une autre fille. Dès qu'on est tous les deux, il regarde par-dessus mon épaule comme s'il ne voulait pas qu'on nous voie ensemble.

– Impossible, intervint Jimena. C'est un amour.

– Ouais, il est sympa et il est drôle, fit Séréna.

– Tu t'inquiètes trop, insista Vanessa. D'ailleurs, ce n'est pas forcément lui le problème. Peut-être que toi aussi tu te comportes bizarrement. Du coup, il ne se sent pas à l'aise.

– Moi ? dit Catty, incrédule.

– Toi aussi tu as des soucis, reprit Séréna. Tu as dit toi-même qu'hier, ça a été le pire jour de ta vie.

– *De veras*, opina Jimena.

Catty réfléchit à ce qu'elles venaient de lui dire. À son avis, ce n'était pas ses problèmes à elle qui étaient en cause, si Chris voyait une autre fille. D'ailleurs, elle le connaissait assez pour savoir qu'il n'était pas dans son état normal.

La cloche sonna.

– Oh non ! Je vais encore être en retard ! gémit Séréna.

– Allez, on y va ! cria Jimena.

Les deux amies filèrent dans le couloir. Vanessa voulut les suivre, mais Catty la retint par le bras.

Vanessa lui jeta un regard étonné :

– Qu'est-ce qu'il y a ? Je vais être en retard.

– Désolée, dit Catty, mais il faut que je te parle.

– Ça peut pas attendre ? Tu sais que j'ai horreur d'arriver en retard.

– Non. Ça peut pas attendre.

Inquiète, Vanessa demanda à son amie :

– Qu'est-ce qu'il y a ?

– Je veux que tu reviennes dans le temps avec moi.

– Non, répondit Vanessa d'un ton ferme.

Catty lui prit la main et la tira à elle :

– S'il te plaît ! Je sais que tu as horreur de ça, mais je veux retourner à la morgue pour prendre les affaires de ma mère.

– Non, répéta Vanessa.

– C'est toi qui as dit que j'aurais dû tout regarder, lui rappela Catty. J'ai peut-être raté un indice important.

– Mais tu n'as pas besoin de moi pour ça, répondit Vanessa. Je te gênerais, c'est tout.

– Je risque de tomber sur les Suiveurs.

– Retourne dans le temps avant leur arrivée. Comme ça, tu seras en sécurité.

– Impossible : avant, le bureau sera fermé, expliqua Catty.

– Et alors ? Arrange-toi pour atterrir à l'intérieur du bureau, répliqua Vanessa.

– Mes atterrissages ne sont pas assez précis pour ça, insista Catty. Tu me le dis tout le temps.

– Eh bien, appelle-les alors, dit Vanessa, une pointe d'impatience dans la voix. Il sont obligés de te donner ses affaires. Demande à Kendra de t'aider.

– Ça peut prendre des mois, répondit Catty. Et si Kendra et moi on remplit les formulaires, et que les Suiveurs nous attendent ? Ils pourraient m'enlever.

– C'est tout aussi dangereux de revenir dans le temps, fit remarquer Vanessa.

– Tu m'as fait promettre de ne pas agir toute seule, lança Catty, mais j'imagine que je vais devoir le faire.

– Non ! C'est trop risqué !

Catty sut qu'elle avait gagné :

– Pas si tu nous rends invisibles : comme ça, on pourra contourner les Suiveurs et la réceptionniste, et prendre les affaires de ma mère dans le bureau.

– C'est sûrement illégal, objecta Vanessa. Tu ne peux pas faire les choses normalement, pour une fois ?

– Impossible, je te l'ai déjà expliqué. D'ailleurs, ce n'est pas vraiment du vol. L'enveloppe appartenait à ma mère : elle doit me revenir. Mets-toi à ma place.

– Bon, d'accord, fit Vanessa à contrecœur.

– Super ! s'écria Catty en lui prenant la main.

– Pas ici ! gémit Vanessa. On pourrait nous voir.

– D'accord.

Trop tard. Catty sentait son pouvoir envahir son esprit, jaillir de son crâne.

Vanessa la regardait, tétanisée. Elle savait ce qui allait arriver.

Catty jeta un œil à sa montre. Les aiguilles se mirent à tourner à l'envers ; autour d'elles, l'air semblait anormalement pesant. Poussant un cri perçant, Vanessa laissa tomber ses livres. Le lycée disparut dans un grondement, suivi d'une explosion de lumière blanche. Aspirées dans le tunnel qui s'ouvrait derrière elles, les deux amies tourbillonnèrent dans une atmosphère à la fois sèche et effervescente.

Vanessa s'étrangla à moitié, puis toussa. Elle parvenait à peine à respirer cet air lourd et malsain. Catty s'y était habituée.

Elle regarda sa montre.

– Maintenant ! cria-t-elle pour prévenir son amie.

Vanessa avait horreur des atterrissages.

Elles tombèrent dans le temps. Dans sa tête, Catty se voyait atterrir en douceur sur ses pieds. Au lieu de cela, elle s'effondra comme une masse sur le parking de la morgue. Son menton heurta le sol dans un bruit sec.

– Aïe !

Vanessa se trouvait à côté d'elle.

– Désolée, marmonna Catty en se relevant.

– Celui-là, il était pire que d'habitude.

– Je sais, reconnut Catty. Je suis nerveuse.

Un klaxon retentit. Catty se retourna. Une voiture avançait lentement vers elles.

– Zut, fit Vanessa. On est au milieu du parking. J'espère que personne ne nous a remarquées.

– C'est trop tard, de toutes façons.

Elles plongèrent entre deux camionnettes garées côte à côte.

Catty se mit à rire :

– Tu imagines la tête du conducteur, s'il nous a vues tomber du ciel ?

– Comment on lui aurait expliqué ça ? demanda Vanessa, avant d'éclater de rire elle aussi. Bonjour monsieur, on tombe du ciel, rien de grave.

Catty se tourna vers elle :

– On y va ?

– On y va. (Vanessa jeta un œil aux deux bâtiments reliés par une vaste allée bétonnée. Elle semblait plus inquiète qu'à l'accoutumée.) C'est quel immeuble ?

– Celui-là.

Vanessa lut les indications sur la porte vitrée : « Morgue municipale. Examens médico-légaux. Laboratoires. » Elle frissonna :

– C'est là qu'ils gardent... c'est là qu'ils gardent les cadavres ?

– Au sous-sol, oui – mais on n'aura pas à y aller.

Vanessa prit une profonde inspiration :

– Alors d'accord... mais quand même, ça me file la trouille.

– Allez, on y va, ça sera fait, lança Catty.

Vanessa la saisit par la taille et l'enlaça. Catty respira lentement pour se calmer. Presque aussitôt, ses molécules commencèrent à s'agiter, et une sensation agréable envahit son corps. Émerveillée, elle observa ses mains, sa peau, ses muscles et ses os se séparer en d'innombrables étincelles, puis devenir transparents. Enfin, il ne resta plus que de l'air.

Profitant d'une petite brise, elles se laissèrent porter vers la morgue.

Catty ne regarda pas derrière elle : elle craignait de se voir, avec Kendra, assise dans la voiture.

Les deux panneaux de la porte vitrée étaient entrouverts, et Vanessa se glissa dans l'interstice, Catty dans son sillage. Si Catty avait pu hurler, elle l'aurait fait. Elle se demanda pourquoi Vanessa craignait tellement le tunnel. L'invisibilité, c'était bien pire.

À l'intérieur, l'air frais les enveloppa. Une sensation désagréable – mais pire encore était la charge électrique qui entourait les trois Suiveurs, autour du guichet d'accueil.

Vanessa s'arrêta. Catty dirigea ses molécules vers le bureau des objets personnels. Elles se mirent à flotter dans cette direction.

Tout à coup, Catty éprouva une sensation bizarre. Que se passait-il ? Elle fut saisie d'une douleur soudaine, comme un coup d'épingle, puis un autre, et encore un autre. Ses molécules entraient en collision. Elle regarda ses mains et vit une masse de petits points. Redevenait-elle visible ? Elle jeta un œil à Vanessa. Son visage réapparaissait.

– Oh oh, fit Vanessa.

Les molécules de Catty se heurtèrent avec une force qui l'étourdit. Elle tomba par terre – sur Vanessa.

– Qu'est-ce qui s'est passé ? chuchota-t-elle.

– Désolée, répondit Vanessa. J'ai pensé à tous les morts qui se trouvent ici, ça m'a effrayée et j'ai perdu le contrôle.

– C'est le dernier de nos soucis, dit Catty.

Elle leva les yeux : les Suiveurs se tournaient lentement vers elles.

– Ils savent qui on est ? demanda Vanessa.

– Ne prenons aucun risque.

Catty se mit debout et fonça vers la porte, entraînant Vanessa. Le Suiveur au visage plein se mit sur son chemin.

– Il y a un problème ? demanda-t-il poliment.

– Non, pas du tout, répondit Catty avec un sourire nerveux.

Vanessa la tira dans l'autre direction. Elles évitèrent les deux autres Suiveurs et coururent dans le hall, passant devant un écriteau indiquant *À l'attention des visiteurs : le port du badge de police est obligatoire dans cette zone.*

– On ne devrait pas être là, gémit Vanessa. Je te jure, Catty, un de ces jours tu vas me faire arrêter.

– Pas tant que je pourrai voyager dans le temps, sourit Catty.

Elles continuèrent à courir.

– Hé, c'est interdit ! cria la réceptionniste dans leur dos.

Catty et Vanessa tournèrent et tombèrent sur une porte.

– Cache-toi, ordonna Vanessa.

– Moi ? demanda Catty. (Les Suiveurs arrivaient, de leur pas lent et régulier.) Pourquoi pas toutes les deux ?

– Les Suiveurs vont me poursuivre, puis je me rendrai invisible. Ils perdront ma trace et ça te laissera le temps de trouver ce que tu cherches.

– Je ne sais pas, hésita Catty, qui n'aimait pas la laisser seule. Ça pourrait être dangereux. Il vaut mieux rester ensemble pour les affronter.

Les pas lourds des Suiveurs s'approchèrent.

– Allez, file. Rendez-vous au sous-sol, lui lança Vanessa par-dessus son épaule.

Elle se mit à courir. Catty se glissa dans un débarras. Par la porte entrouverte, elle observa les Suiveurs pourchasser Vanessa.

Quand ils furent passés, elle voulut sortir mais s'arrêta en entendant d'autres bruits de pas.

La réceptionniste courait dans le couloir, accompagnée d'un vigile. Catty les laissa passer puis retourna dans le hall.

Elle se glissa dans le bureau des objets personnels. La porte était toujours ouverte. Elle jeta un œil à l'intérieur. L'employée tournait le dos à Catty.

L'enveloppe marron contenant les affaires de sa mère se trouvait sur un petit classeur métallique. Retenant son souffle, Catty s'avança sur la pointe des pieds. Elle leva les yeux… et vit son reflet dans un énorme miroir convexe, fixé dans un coin comme un œil d'insecte géant. Si la femme levait la tête, elle la verrait.

Catty fit encore un pas et saisit l'enveloppe. Le papier crissa et quelque chose bougea à l'intérieur.

L'employée tendit l'oreille, puis se replongea dans une pile de documents.

Catty fit demi-tour et se dirigea silencieusement vers la porte. Tout à coup, elle entendit des bruits de pas.

Elle vit alors l'employée qui se dirigeait vers elle. Son cœur battait tellement fort que l'autre devait sans doute l'entendre.

– Vous êtes encore là ? demanda l'employée. (C'était la même femme que la veille.) J'ai cru que vous étiez partie.

Apparemment, elle n'avait pas remarqué que Catty avait changé de tenue. Elle jeta un œil à l'enveloppe dans les mains de Catty.

– Vous avez remis le papier dans l'enveloppe ?

– C'est la réceptionniste qui l'a, mentit Catty.

– En sortant, demandez-lui de me le rendre.

– Oui, madame.

L'employée retourna à son bureau.

Catty quitta la pièce. Le hall était encore désert. Elle vit un ascenseur et se dépêcha de le prendre. Les portes métalliques se refermèrent dans un crissement. Adossée à la paroi, Catty poussa un soupir de soulagement.

Dans l'ascenseur poussif, elle ouvrit l'enveloppe. Une chaîne. Catty la sortit et retint son souffle. Pendue à la chaîne se trouvait une amulette lunaire qui ressemblait à la sienne, mais avec une couleur étrange. L'objet paraissait terni, comme noirci par le feu. Catty contempla le visage de la lune gravé dans le métal. Sa mère avait-elle appartenu aux Filles de la Lune ?

Chapitre 5

Les portes de l'ascenseur s'ouvrirent. Catty jeta un œil au-dehors. Personne. Elle fit quelques pas et s'arrêta pour écouter. Au plafond, les néons grésillèrent, s'éteignirent puis se rallumèrent, comme s'il y avait une saute de courant. Les Suiveurs ?

– Vanessa ? lança-t-elle à la cantonade, en glissant l'amulette de sa mère dans sa poche.

Elle jeta l'enveloppe dans une poubelle et avança encore un peu. Les néons clignotèrent puis s'éteignirent. Catty resta plongée dans une obscurité totale, avant de repérer la sortie de secours. Ses yeux s'accoutumèrent peu à peu au noir, et elle reprit sa marche.

En passant devant des portes numérotées, elle prit une longue inspiration – et le regretta aussitôt. L'odeur était chargée d'antiseptiques. Son estomac se noua.

– Vanessa ? Où es-tu ? demanda-t-elle à voix basse.

Elle observa la longue rangée de portes devant elle, en se demandant ce qu'elle verrait si elle s'aventurait dans l'une des pièces. Elle chassa cette idée de son esprit.

La porte suivante était entrouverte. Elle passa devant sur la pointe des pieds.

Le silence absolu semblait trop profond pour être naturel, mais si les plombs avaient sauté, on n'entendait plus la climatisation ni les néons, raisonna Catty.

Elle pénétra dans l'ombre épaisse qui entourait une porte ouverte. Pourvu que Vanessa se dépêche.

– Mais où elle est ? chuchota-t-elle, de plus en plus inquiète.

Derrière elle, un bruit la fit tressaillir. Elle entra dans la pièce noire d'un pas hésitant.

– Vanessa ! répéta-t-elle. C'est pas le moment de jouer.

Silence.

– Bon. Je m'en vais.

Elle se dirigea vers l'ascenseur. Soudain, une main se posa sur son épaule.

Chapitre 6

Catty resta là sans bouger, attendant que la personne lui parle. Rien. Elle se dépêcha alors d'expliquer, pensant avoir affaire à un vigile :

– Je suis désolée. J'ai pris l'ascenseur, les lumières se sont éteintes et je me suis perdue.

Pas de réponse.

Elle voulut se retourner, mais une main gantée l'en empêcha.

– Qu'est-ce qu'il y a ? demanda Catty.

– Ne te retourne pas, chuchota l'inconnu.

Une voix séduisante, et masculine sans aucun doute. Une voix qui semblait familière, aussi.

– Qui êtes-vous ? demanda Catty, en essayant de la reconnaître.

– Catty, reprit doucement l'inconnu.

– Oui ? répondit la jeune fille, frissonnante. Comment est-ce que vous connaissez mon nom ? Je vous connais ?

– J'ai quelque chose pour toi, dit-il sans répondre à la question.

Elle entendit un froissement de tissu. La main gantée lui donna un objet ressemblant à une épaisse feuille de papier.

Catty la prit. Du parchemin. Elle le rapprocha de ses yeux. C'était un manuscrit médiéval richement orné – ou en tout cas, cela y ressemblait. Malgré la très faible lumière, les premières lettres dorées luisaient. Les bordures représentaient d'étranges animaux exotiques cachés dans des buissons et des paysages de contes de fées.

– Vous me donnez ça ? demanda Catty, ébahie. (Si le manuscrit était authentique, cela lui conférait une valeur inestimable.) Vous l'avez volé ?

L'inconnu eut un petit rire :

– Il t'appartient.

– À moi ?

– Prends le manuscrit et sers-t'en, lui ordonna l'inconnu.

– Comment cela ?

– Le manuscrit contient les réponses à tes questions.

Catty se demandait qui lui parlait. Elle essayait de se retourner mais chaque fois, il l'arrêtait.

– Je ne comprends pas, murmura-t-elle. Des questions ? Lesquelles ?

Il y eut un long silence, puis :

– Lis le parchemin. Alors, tu sauras.

– Je saurai quoi ? Qu'est-ce que je dois savoir ? insista Catty.

Elle sentit qu'il s'éloignait.

– N'essaie pas de me suivre, la prévint-il.

– Non, s'il vous plaît, ne partez pas encore, implora-t-elle.

En entendant ses pas s'éloigner, Catty comprit qu'il était sorti. Elle resta là sans bouger, à contempler le manuscrit. Pourquoi ne pas le suivre ? Il lui avait ordonné de ne pas le faire, mais elle ne comprenait pas pourquoi. Un sourire rusé passa sur son visage. Elle avait toujours détesté les règlements. Elle courut dans le couloir. Il était désert, mais l'inconnu devait se trouver dans les parages. Elle remonta le corridor en hâte, passant devant les portes closes.

Devant elle, une porte était ouverte. Elle s'arrêta et jeta un regard prudent dans la pièce. On aurait dit une sorte de réserve. Catty se faufila à l'intérieur, dans des ténèbres épaisses et menaçantes. Elle ne voulut même pas penser à ce qui se trouvait sur une civière, enveloppé dans du plastique.

Dans son dos, une voix lui dit sèchement :

– Tu ne dois jamais essayer de découvrir mon identité, tu comprends ?

– Oui.

– C'est d'une importance capitale. Ton existence même peut en dépendre, Catty.

L'inconnu avait prononcé son nom avec tendresse, comme s'il la connaissait depuis longtemps.

– Tu comprends ? répéta-t-il.

– Pourquoi ? chuchota Catty. Où est le danger ?

– Je te demande juste de me croire, d'accepter cette vérité.

Catty le croyait, mais elle voulut lui reposer sa question. Il posa sa main gantée sur la sienne. Elle essaya de l'apercevoir du coin de l'œil, mais l'obscurité dissimulait son visage.

– Fais-moi confiance, chuchota-t-il.

– Oui, répondit Catty.

Comment pouvait-elle croire ainsi un parfait inconnu ?

– Au revoir, murmura-t-il à son oreille.

Un frisson agréable la parcourut. À présent, elle voulut plus que jamais savoir qui il était. Elle se retourna tout à coup, s'attendant à se retrouver face à lui. La pièce était vide.

Soudain, Catty entendit des bruits de pas dans le couloir. S'il s'y trouvait, il y aurait assez de lumière pour qu'elle puisse le voir, se dit-elle, ravie.

Elle courut vers la porte et heurta Vanessa.

– Ah, tu es là, dit Vanessa d'un air irrité. Comment tu as pu me laisser seule ici si longtemps ? Je préférerais avoir affaire aux Suiveurs que traîner dans ce labyrinthe.

Catty voulut lui montrer le manuscrit, mais un bruit la figea sur place.

À l'autre bout du couloir, deux Suiveurs ouvrirent la grosse porte métallique donnant sur la cage d'escalier.

Ils se dirigèrent vers elles. L'air fut agité d'une vibration étrange. Catty sentit le duvet sur sa nuque se dresser, sous l'effet de l'électricité statique.

– Pourquoi il n'y en a que deux ? demanda Vanessa. Qu'est-ce qui est arrivé au troisième ?

– Aucune idée.

– Ramène-nous, Catty, je t'en supplie. Vite.

– Impossible, répondit Catty. (Trop émue, elle se sentait incapable d'ouvrir le tunnel.) Et toi, tu peux nous rendre invisibles ?

– Tu rigoles ? J'arrive à peine à respirer.

– Alors, on va les combattre. Ça demande moins d'énergie.

Catty et Vanessa se tinrent côte à côte, concentrées, puis déchargèrent une spirale d'énergie mentale sur les Suiveurs. Le couloir s'emplit d'une lumière chatoyante. Catty sentait son pouvoir monter en elle, mais cela n'empêcha pas les Suiveurs de poursuivre leur marche lente et régulière. Ils ne répliquèrent pas non plus. En fait, ils souriaient à Catty et Vanessa, comme s'ils trouvaient leurs efforts amusants.

– Qu'est-ce qu'ils ont ? demanda Catty.

– Allez, on retourne dans le présent, siffla Vanessa. Ça craint vraiment trop.

– Je vais essayer. (Catty prit Vanessa par la main, mais n'arriva pas à se concentrer. Elle avait l'impression d'être vidée de toute son énergie.) Je ne vais pas y arriver. Je n'ai plus assez de puissance.

– Il le faut ! Dépêche-toi.

– Non… impossible – mais j'ai un plan.

– Hein ?

Catty poussa Vanessa :

– Cours !

Elles foncèrent dans le couloir. À ce moment-là, le troisième Suiveur apparut à l'autre extrémité, et se dirigea vers elles.

– Catty, je t'en supplie, essaie !

Catty serra le parchemin contre sa poitrine et ferma les yeux. Rien.

Les Suiveurs se rapprochaient.

– Plus jamais, gémit Vanessa. Je ne le referai plus jamais.

– Tu es optimiste, plaisanta Catty pour cacher sa peur. Tu crois qu'on aura une autre occasion ?

Le Suiveur à la grosse moustache tendit la main vers Catty, faisant jaillir des étincelles bleues, comme un éclair miniature.

– Désolée, Vanessa, souffla Catty. Vraiment désolée.

Chapitre 7

Tout à coup, Vanessa enlaça Catty.

– Détends-toi, ordonna-t-elle.

– OK.

Les molécules de Catty commencèrent à se disperser. Elle regarda son corps se dissoudre. Invisibles, les deux amies s'élevèrent vers le plafond, passant par-dessus les Suiveurs, et continuèrent à flotter dans l'escalier ; elles traversèrent des couloirs puis sortirent enfin dans la chaleur de l'après-midi.

Vanessa ne les rendit visibles qu'une fois à l'arrière du bâtiment, près de la route. Catty roula au sol.

– Tu peux nous ramener dans le présent ? demanda Vanessa, l'air épuisé.

– Bien sûr.

Catty sentit la chair de poule envahir sa peau. Elle avait failli oublier le manuscrit. Elle le ramassa par terre.

– Comment tu as fait pour nous rendre invisibles ?

– C'est pas important, grogna Vanessa.

– Allez…

– D'accord, mais ça ne veut rien dire. (Vanessa hésita un instant.) J'ai pensé à Michael.

– Quoi ? Je croyais que tu en avais fini, avec lui.

– Je t'ai dit que c'était sans importance, répondit Vanessa, mais son amie se demanda qui elle essayait de convaincre. Bon, tu nous ramènes ?

Catty se concentra, tenant le manuscrit dans une main et celle de Vanessa dans l'autre. Elle sentit son pouvoir croître en elle. Tout à coup, la chaleur de l'après-midi disparut dans une explosion. Elles tombèrent dans des ténèbres fraîches. Le temps pour Catty de s'habituer à l'obscurité, et il lui fallait déjà sortir du tunnel. Elles atterrirent dans l'arrière-cour de Catty. Celle-ci consulta sa montre :

– Désolée. On a raté les cours. J'espère que tu n'avais rien d'important aujourd'hui.

Allongée dans l'herbe, Vanessa répondit :

– Pour l'instant, ça m'est égal. Je n'ai jamais été aussi contente de retrouver le présent. Ces Suiveurs étaient les plus glauques qu'on ait jamais vus. Pourquoi est-ce que nos pouvoirs ne marchaient pas contre eux ?

Catty agita le manuscrit sous ses yeux.

– C'est quoi ? demanda Vanessa.

– Viens, on va à l'intérieur, je vais te montrer.

Catty traversa le patio et entra dans la cuisine. Elle posa le manuscrit sur la table. Avec Vanessa, elle étudia les bordures richement enluminées, la première lettre capitale ornée de motifs complexes en or, rouge et bleu. Une miniature très fine représentait un personnage en train de fermer les mâchoires de l'enfer. On aurait dit une déesse, mais avec des yeux inquiétants, presque phosphorescents, comme ceux des Suiveurs sous la lune.

– Qu'est-ce qu'il dit ? demanda Vanessa.

Catty fit courir son index sur les mots, en essayant de traduire le latin. Elle n'y arriva pas.

– C'est bizarre. Normalement, on parle et on comprend le latin, alors comment ça se fait que je n'y arrive pas ?

Vanessa lui montra le manuscrit médiéval encadré accroché au mur, entre deux aquarelles de Catty. C'était le trésor de Kendra. Même s'il ne s'agissait pas d'une pièce de valeur, Kendra adorait cette vieille écriture latine.

– Tu te souviens de ce que dit Kendra ? Les parchemins en latin sont difficiles à traduire, même pour des érudits, parce que les copistes avaient chacun leurs manies et leurs écritures – qui changeaient aussi selon les régions.

Catty se souvint des problèmes de traduction de Kendra : il lui fallait s'habituer au style propre à chaque copiste. Pourtant, c'est aussi cela qui plaisait à Kendra : cette impression de connaître la personnalité de l'auteur après avoir étudié son œuvre.

– Dans ce cas, c'est normal que je n'y comprenne rien.

– Hé, et si on demandait à Kendra ? suggéra Vanessa.

– Si on lui demandait quoi ?

Kendra entra dans la cuisine, un tas de journaux sous le bras. Elle les mit dans le bac à recyclage.

Catty la regarda, heureuse de la voir. Le mercredi, Kendra fermait toujours tôt sa librairie. Catty lui tendit le manuscrit.

– On se demandait si tu pourrais nous le traduire.

Kendra prit ses lunettes pour lire et étudia le manuscrit, fascinée.

– Où est-ce que vous avez eu une œuvre aussi inestimable ?

Catty lui parla de l'inconnu. Kendra et Vanessa l'écoutaient, bouche bée. Kendra reprit le parchemin.

Voilà qui est très curieux, déclara-t-elle enfin. Souvent, dans les documents médiévaux, l'écriture est mécanique, typique de ces bataillons de copistes qui ne connaissaient pas le latin, mais travaillaient dur sur leur écritoire pour transcrire les livres mot à mot, lettre après lettre. Je ne retrouve pas cela dans ce manuscrit. À mon avis, il pourrait même être plus ancien.

– Comment ça ? demanda Catty.

– Le lettrage possède une certaine fluidité au début, mais vers la fin, l'écriture semble s'accélérer.

– Est-ce qu'il fait allusion à la lune ? demanda Vanessa.

– Oui… et il parle aussi d'une malédiction, répondit Kendra.

– Une malédiction ? demandèrent en chœur les deux amies.

– C'est exact. Toute personne touchant le manuscrit subira une malédiction.

Kendra se pencha sur le manuscrit et traduisit la phrase :

– « Celui qui tient le manuscrit détiendra la misère et la mort. »

Kendra continua sa lecture :

– « L'Atrox surgit des ténèbres primordiales. »

Elle se tourna vers Catty et Vanessa :

– Qu'est-ce donc qu'un Atrox, grand Dieu ?

Vanessa et Catty échangèrent des regards effrayés. L'inconnu avait-il remis à Catty un objet dangereux ?

– Atrox… répéta Kendra. Peut-être une bizarrerie du copiste. Un mot qu'il a mal orthographié, ou qu'il ne connaissait pas… Oh, c'est l'heure de mon yoga. Vous m'excusez ?

Quoi qu'il arrive, Kendra s'arrêtait toujours pour pratiquer son yoga et sa méditation. C'était parfois agaçant.

Catty attendit que Kendra s'installe dans sa chambre, sur son matelas. Elle se tourna vers Vanessa :

– Je crois qu'on ferait mieux d'en parler à Séréna et Jimena, et d'emmener le manuscrit à Maggie, lorsqu'on la verra demain.

Chapitre 8

Le lendemain, après les cours, Catty retrouva ses amies. Elle grimpa à l'arrière de la voiture de Jimena. En fait, c'était celle de son frère. Jimena n'avait pas encore le permis, mais quand son frère lui rendait visite de San Diego, il lui prêtait son Oldsmobile '81. Jimena avait appris à conduire dans son gang, en volant des voitures.

– Pourquoi on va à Westwood ? demanda Catty.

– On ne va pas à Westwood, la corrigea Séréna, assise à l'avant. On va au bâtiment fédéral.

– Maggie est à une manifestation, précisa Jimena en démarrant dans un crissement de pneus.

– Hé oui, dit Séréna. Elle nous a dit de la chercher dans la foule.

– Contre quoi elle manifeste, à votre avis ? demanda Vanessa.

Jimena s'engagea souplement dans la circulation, sur Doheny Boulevard. Le pot d'échappement grondait près de l'asphalte. Catty aimait bien ce son grave et éraillé.

– Ils font tout un tas de manifs là-bas, intervint Catty. Ça ressemble à une fête. Kendra dit que c'est un endroit génial pour rencontrer des gens.

– Peut-être que Maggie se sent seule et qu'elle veut rencontrer un mec, ajouta Jimena avec un petit sourire.

– Non, dit Catty. Maggie est contre les thoniers qui continuent à tuer les dauphins.

Jimena jeta un œil à Catty dans le rétroviseur :

– Tu as apporté le manuscrit ?

– Oui, dans mon sac à dos.

– J'arrive pas à croire qu'on traite comme ça un manuscrit aussi précieux, gémit Vanessa.

– On n'a aucune idée de sa valeur... sauf pour l'Atrox, la reprit Catty. (Elle remarqua un changement dans la tenue de son amie :) Hé, Vanessa, tu ne portes plus ton amulette lunaire ?

Séréna et Jimena se retournèrent toutes deux. Jimena reporta aussitôt son attention sur la route, dépassant un autobus à toute allure, avant de virer sèchement à gauche.

Vanessa se frottait une tache rouge sur le cou :

– Elle me donnait des irritations. Maman a dit que ça ne venait sans doute pas de l'amulette, que c'était une crème qui réagissait avec le métal.

– Tu ne l'enlèves jamais, commenta Catty en la dévisageant.

Vanessa regardait par la vitre, comme si elle voulait mettre fin à cette conversation.

– Je sais, mais ça me grattait trop.

Jimena gara la voiture derrière le bâtiment fédéral. Les quatre amies en sortirent et se dirigèrent vers le Wilshire Boulevard. La lumière du soleil filtrait derrière les fumées du ciel, jetant une lueur orange irréelle dans l'après-midi torride.

Dans la rue, des groupes de gens manifestaient pour ou contre le réchauffement de la planète, l'avortement, les droits des animaux et l'immigration. Sur le trottoir, d'autres personnes, moins nombreuses, agitaient leurs pancartes à l'attention des automobilistes. Maggie, une petite femme mince aux longs cheveux gris noués en chignon, brandissait une affiche disant *Sauvez les dauphins*. Elle arborait de grosses boucles d'oreilles et portait une grande robe orange et mauve. Ses tempes luisaient de transpiration.

Les quatre amies s'approchèrent d'elle pour l'embrasser. Un barbu se trouvait à côté d'elle. Il posa sa pancarte et salua les jeunes filles.

– Tes petites-filles sont adorables, Maggie, dit-il en tendant la main à Catty. Je m'appelle George.

– George est un très vieil ami, expliqua Maggie en le regardant avec une grande affection. Tu veux bien nous excuser un moment, George ?

Elle lui tendit sa pancarte et il s'en alla un peu plus loin, brandissant les deux écriteaux.

Maggie se fraya un chemin parmi les autres manifestants, entraînant les filles dans son sillage.

Enfin, elle s'arrêta à l'ombre du bâtiment. Un vigile leur lança un regard méfiant.

– Alors, que se passe-t-il ? leur demanda Maggie.

Catty ouvrit son sac et lui tendit le parchemin.

Maggie effleura avec respect le papier craquant.

– Le Parchemin perdu, murmura-t-elle, sidérée.

– Vous le reconnaissez ? lui demanda Catty.

Trop abasourdie pour parler, Maggie lui fit signe que oui. Elle expliqua enfin, d'une voix remplie de crainte :

– J'avais toujours cru que le Parchemin perdu n'était qu'une légende. Je n'aurais jamais imaginé qu'il existait pour de bon. Selon la tradition, le manuscrit a été caché pour protéger le secret ultime… pour toujours.

– Quel secret ? demanda Séréna.

Maggie hésita.

– La Voie du Manuscrit, dit-elle enfin. Elle révèle comment détruire l'Atrox.

– Et comment ? demanda Vanessa, en regardant par-dessus l'épaule de Maggie comme si elle pouvait lire l'écriture compliquée.

– Incroyable, lâcha Catty, exprimant leur étonnement à toutes.

– Qu'est-ce qu'on doit faire ? demanda Jimena.

– Patience, dit Maggie. N'agissez pas à la hâte. Toute action peut être bonne ou mauvaise. Il me faut du temps pour lire le manuscrit et réfléchir à toutes ses possibilités.

– Pourquoi est-ce qu'on me l'a donné à moi ?, demanda Catty.

Maggie la regarda avec solennité :

– D'après la légende, cela voudrait dire que tu es l'héritière désignée. (Sa voix semblait triste. Maggie lui cachait-elle quelque chose ?) L'héritier est la personne choisie pour suivre la Voie du Manuscrit.

Catty sentit l'angoisse monter en elle :

– Mais comment est-ce que je peux suivre cette Voie ? Je ne sais même pas lire le manuscrit.

– Ne t'inquiète pas, lui répondit doucement Maggie. Si tu n'étais pas à la hauteur, tu ne l'aurais pas reçu.

Maigre consolation. Catty comprit que Maggie lui cachait bel et bien une partie de la vérité.

– Catty, parle-lui des Suiveurs, intervint Jimena.

Ils étaient plus vieux que tous les Suiveurs que j'ai déjà vus, et ils avaient l'air trop parfait, expliqua Catty.

– Comment cela, « l'air trop parfait » ?

– On aurait dit qu'il venaient de passer une heure à se faire maquiller – un peu comme les hommes politiques qu'on voit débattre à la télé : la coiffure impeccable, les costumes qui sortent du pressing, tout ça. Ils dégageaient aussi une aura électrique bizarre.

– Continue, lui dit Maggie.

– À leur arrivée, la pièce s'est emplie d'une charge électrique. Ça a même fait sauter les plombs.

– Je comprends, dit Maggie. Ne te laisse pas abuser par leur apparence. Il ne s'agissait pas de Suiveurs.

– Mais si, j'en suis sûre, insista Catty.

– Moi aussi, renchérit Vanessa.

– Ce n'étaient pas des Suiveurs, expliqua Maggie, mais des Régulateurs.

– Des Régulateurs, répéta Séréna, soucieuse.

Elle essaya de dissimuler son inquiétude, mais en vain. Sa relation avec Stanton était interdite, et l'Atrox punissait les Suiveurs qui violaient ce tabou, en envoyant des Régulateurs pour les détruire. Stanton avait tout risqué pour Séréna, jusqu'au jour où il avait compris qu'il la mettait également en danger.

Maggie sembla lire dans les pensées de Séréna :

– Je suis persuadée que ces Régulateurs sont venus pour le manuscrit. L'Atrox veut le détruire.

– Vous en êtes sûre ? demanda Séréna.

– Les Régulateurs que Catty a décrits sont les plus féroces, reprit Maggie. Ils sont tellement liés à l'Atrox que cela transforme leur apparence même : le Mal les défigure jusqu'à ce qu'ils deviennent monstrueux.

– Mais ils avaient l'air parfait, objecta Catty, perplexe.

– Oui, bien sûr, parce qu'ils peuvent dissimuler leur apparence hideuse. La plupart d'entre eux se déguisent en adultes distingués pour gagner la confiance des gens. Ils peuvent tout aussi bien paraître sous les traits d'une personne plus jeune. En revanche, cela leur demande une énergie colossale et heureusement, ce camouflage les affaiblit.

– Et quand ils ne sont pas déguisés ? interrogea Jimena.

– Ils sont extrêmement puissants, soupira Maggie. Leur plus grand pouvoir consiste à pénétrer dans les rêves.

– Les rêves ? demanda Vanessa, mal à l'aise.

– Ces Régulateurs évoluent librement dans le pays des rêves. Chaque nuit ils partent en chasse dans nos rêves. En fait, la plupart des gens les ont vus en dormant, mais ils pensent qu'il s'agissait juste d'un cauchemar.

Catty pensa à toutes les fois où elle s'était réveillée le matin toutes lumières allumées, parce qu'un cauchemar l'avait terrifiée : impossible de se rendormir dans le noir. Était-ce là l'œuvre des Régulateurs ? Tout à coup, elle se souvint du rêve de Kendra. Un frisson la parcourut.

– Le royaume des rêves représente un moyen facile pour les Régulateurs de trouver une personne qui essaye d'échapper à l'Atrox.

– Comment ? demanda Séréna.

– Une fois que les Régulateurs se trouvent dans les rêves de cette personne, ils peuvent lire ses souvenirs, expliqua Maggie. Les souvenirs, comme les empreintes digitales, sont propres à chaque individu, et nous identifient de manière infaillible. Ces Régulateurs peuvent aussi envoyer des rêves à leur proie, des rêves qu'ils contrôlent.

Maggie regarda de nouveau le manuscrit :

– Je suis persuadée que cette arrivée soudaine des Régulateurs est liée au manuscrit, même s'il les terrifie.

– Pourquoi est-ce qu'ils en auraient peur ? demanda Vanessa.

– Parce que les Régulateurs croient à la malédiction du parchemin – et pourtant, leur allégeance à l'Atrox les oblige à le rechercher pour le détruire. Inutile de vous dire d'être prudentes. L'Atrox mettra tout en œuvre pour détruire le manuscrit. Nous nous reverrons dès que j'aurai eu le temps de l'étudier.

– Et nous, que pouvons-nous faire ? demanda Jimena.

Maggie sourit :

– J'admire votre énergie, mais il me faut d'abord passer du temps sur ce manuscrit. Après tout, j'avais toujours cru que c'était une légende.

Elle rangea le manuscrit dans son sac en toile et les quitta sans se retourner.

Jimena soupira.

– Bon, on va manger un morceau à Westwood ?

– Je vous rejoins là-bas. (Catty se rappela tout à coup de l'amulette de sa mère. Elle courut après Maggie et l'appela.) J'ai oublié de vous montrer ça annonça-t-elle en tirant le talisman de sa poche.

L'amulette, terne et noircie, ne reflétait aucune lumière.

Maggie sursauta.

– Eh bien ? demanda Catty avec impatience.

– Cette amulette appartient à une Fille de la Lune qui s'est convertie à l'Atrox, répondit Maggie.

Chapitre 9

Catty s'enfuit, jouant des coudes dans les groupes de manifestants. Elle ne voulait pas que Maggie voie les larmes dans ses yeux.

Maggie l'appela, mais elle fit semblant de ne rien entendre. Une fois certaine qu'elle ne l'avait pas suivie, elle s'arrêta pour regarder l'amulette. À présent, et plus que jamais, Catty voulait voir sa mère. Elle crispa sa main sur le talisman d'argent terni. En parvenant à remonter loin dans le temps, elle pourrait peut-être l'aider.

En chemin, Catty fit un effort pour se ressaisir. Westwood Village se trouvait près du campus de l'université. En temps normal, elle adorait regarder les flèches, les dômes et les minarets des vieux bâtiments, mais il lui fallait trouver ses amies. Elle les vit enfin, assises à la terrasse d'un café.

Jimena tripotait ses bracelets avec nervosité. Séréna semblait soucieuse, et Vanessa se rongeait les ongles.

Catty s'assit à leur table.

– Et alors ? Je croyais que tout le monde se réjouirait de voir le manuscrit. C'est ce qu'on attendait, non ?

– Dis-lui, Séréna, murmura Jimena.

– J'ai lu les pensées de Maggie, dit simplement Séréna.

– Tu n'y es jamais arrivée, objecta Catty.

– Je sais, reconnut Séréna. En fait, je n'en avais pas vraiment l'intention, mais elle devait être tellement distraite par le manuscrit qu'elle a baissé la garde.

– Dis-lui ce que tu as vu, insista Jimena.

– Maggie pense que le parchemin va l'envoyer à la mort, déclara Séréna.

– Impossible ! s'écria Catty. Pourquoi est-ce que Maggie penserait ça, alors que le manuscrit nous permettra de détruire l'Atrox ?

– C'est vrai, ce n'est pas logique, répondit Jimena.

– Sauf si Maggie nous a menti, ajouta Vanessa.

Elles se regardèrent en silence.

– Qu'est-ce que vous en pensez ? demanda Jimena.

– Peut-être que Maggie appartient à l'Atrox et qu'elle nous a menées en bateau. Si c'est le cas et que l'Atrox est détruit, alors elle sera détruite, elle aussi.

– Mais enfin, comment est-ce que vous pouvez penser ça ? demanda Séréna en colère.

– Réfléchissons, répondit Vanessa. Maggie nous empêche d'agir. Notre instinct nous dit de prendre des risques, mais elle nous met toujours en garde.

– Parce qu'elle a peur pour nous, lui rappela Jimena.

– D'ailleurs, intervint Séréna, quand on fait quelque chose qu'elle ne nous a pas demandé, ça ne la dérange jamais. En général, elle nous dit que c'est exactement ce qu'elle avait voulu.

– Alors, quand elle nous dit de ne pas faire quelque chose, ça pourrait être pour nous tester, pour voir si on a du cran.

– C'est possible, dit Vanessa d'un ton peu convaincu.

– Mais toi, tu penses à autre chose, lança Jimena, exaspérée.

– Enfin, reprit Vanessa, c'est Catty qui a reçu le manuscrit. C'est la seule personne capable de suivre la Voie, et pourtant Maggie le lui prend. Est-ce que Catty n'aurait pas dû le garder ?

– Elle l'a pris pour l'étudier, protesta Catty.

Vanessa voulut répondre, mais une voix grave l'interrompit :

– Hé, comment va ma copine ?

Elles se retournèrent. Toby se tenait derrière elles.

– Je ne savais pas que vous sortiez à Westwood, les filles. De quoi vous parliez ?

– C'est personnel, répondit sèchement Séréna.

Toby sourit :

– Je vous entendais depuis l'intérieur du café, alors ça ne devait pas être trop personnel. C'est quoi, cette histoire de manuscrit ?

– Rien, répondirent Catty et Jimena en chœur.

Vanessa se leva tout à coup. Toby glissa un regard admiratif sur son corps.

– Tu es superbe, lui dit-il en l'embrassant sur la joue.

Vanessa lui prit le bras :

– On va faire un tour sur le campus. J'adore me promener là-bas.

– D'accord.

Il voulut la serrer contre lui, mais dans un geste réflexe, Vanessa posa ses mains sur sa poitrine, comme pour dresser une barrière entre eux.

Ce geste laissa Catty pantoise. Vanessa prétendait qu'il lui plaisait, et pourtant, son attitude indiquait tout le contraire.

– Je t'appelle ce soir, lui dit Vanessa, avant de partir avec Toby.

Catty les regarda s'éloigner bras dessus bras dessous. Elle tendit la main pour prendre un verre d'eau et toucha accidentellement Séréna. Une étincelle jaillit.

– Tiens, comment ça se fait ?

– Il fait chaud et sec, répondit Seena.

– Je croyais que ça se produisait par temps froid et sec, remarqua Catty.

– Est-ce que Toby vous dégoûte autant que moi ? demanda Séréna.

– Oui… il a beau être mignon et bien fichu, son sourire me met mal à l'aise, reconnut Catty. Je ne comprends pas pourquoi il plaît autant à Vanessa.

– Il est trop propre sur lui, ajouta Jimena. Moi, je préfère les types bruts de décoffrage.

– Ça vaut mieux, plaisanta Séréna. Collin a toujours le nez qui pèle et du sable dans les oreilles.

– C'est sûr, mais c'est le plus beau mec que j'ai rencontré.

Collin le surfer fou était le frère de Séréna et le copain de Jimena.

– J'ai trop hâte qu'il revienne de Hawaii, ajouta-t-elle.

Catty jeta un œil à sa montre :

– Jimena, tu peux m'emmener à la librairie ? Je peux pas me permettre d'être en retard.

Vingt minutes plus tard, Catty entrait dans la librairie Darma. En fermant la porte, elle fit tinter des clochettes de cuivre suspendues à des cordons de cuir. Des livres, bougies, chapelets bouddhiques, cristaux et huiles essentielles l'entouraient, bien rangés sur des étagères blanches.

– Salut, maman, dit Catty.

Des volutes d'encens emplissaient l'air de leur odeur âcre. Kendra regarda sa montre puis sourit :

– Merci d'être à l'heure. (Elle ramassa une pile de papiers et se dirigea vers la porte arrière.) Qu'est-ce que je rapporte pour dîner ?

– Ce que tu veux, répondit Catty.

– Tu prends des risques…

– Pas de régime végétarien, alors, corrigea Catty. Un truc avec plein de graisse et de calories.

– Commande une pizza alors, lui dit Kendra en sortant.

– Bonne idée.

Après le départ de Kendra, Catty fit le tour de la boutique. L'endroit la rassérénait toujours. Les haut-parleurs jouaient une mélodie de guitare douce, et elle entendait le glouglou d'une fontaine à bulles.

Catty écarta le rideau bleu qui séparait la librairie de l'arrière-boutique et entra dans la petite cuisine. Elle s'assit à la table. Sur le mur se trouvait une photo floue d'une soucoupe volante au-dessus du désert de l'Arizona, à côté de plusieurs images de l'espace, prises par le télescope Hubble. Kendra pensait que ces posters apportaient du réconfort à Catty.

La jeune fille sortit l'amulette lunaire de sa mère et la posa devant elle. Elle se demanda si Maggie avait raison. Sa mère se serait-elle convertie à l'Atrox ? Ou y avait-il une autre raison pour que le talisman se trouve dans ses affaires ? À cet instant, Catty aurait aimé retourner dans le passé pour voir sa mère. Elle se souvint ensuite de ce que Séréna avait dit à propos de Maggie. Là-dessus, les clochettes du magasin se mirent à tinter. Elle remit l'amulette dans sa poche et retourna à la boutique.

Chris se trouvait près du comptoir, en train de regarder un assortiment de bougies.

– Salut, lui lança-t-il.

Je ne savais pas que tu allais passer, lui dit Catty.

Elle était contente de le voir, mais elle n'avait pas de temps à lui consacrer dans l'immédiat. Trop de problèmes la tourmentaient. En plus, Kendra lui avait récemment interdit de recevoir des garçons pendant qu'elle gardait la librairie. Catty ne voulait pas prendre le risque.

– Tu m'as manqué, après les cours, dit Chris avec un sourire enjôleur. Tu es partie tout de suite.

Surprise mais heureuse qu'il s'en soit rendu compte, Catty répondit d'un air indifférent :

– Il fallait que j'y aille.

– Quelque part en particulier ?

Catty l'étudia. Si elle l'avait moins bien connu, elle aurait pu croire qu'il était jaloux.

– Je suis sortie, c'est tout.

– Pas avec quelqu'un d'autre, j'espère.

Chris essayait de plaisanter, mais elle sentit son inquiétude.

– Pas avec un autre mec, si c'est ça que tu veux dire.

Il lui prit la main :

– Tu penses que c'est ça, ce que je voulais dire ?

– Écoute, je suis vraiment occupée, là. (Elle voulait qu'il parte. Et si Kendra revenait tout à coup ?) J'ai plein de choses à faire.

Il fit semblant de n'avoir pas entendu. Il s'approcha et posa ses mains sur ses épaules, puis les fit glisser le long de ses bras. Elle sentit son haleine frôler sa joue. Il l'enlaça.

– Je suis vraiment désolé pour mon comportement au lycée. Je te demande juste de me faire confiance pour le moment.

– Tu ne peux pas me dire ce qu'il y a ? demanda Catty en admirant ses lèvres sensuelles.

– Non, mais je te le dirai un jour. C'est promis.

Catty se plongea dans son regard. Elle voulait vraiment le croire. Plus que tout. Si elle n'écoutait que son cœur, elle lui ferait confiance.

– Je tiens vraiment à toi, murmura-t-il. (Les mots flottèrent autour d'elle comme dans un rêve.) Je tiens à toi plus qu'à n'importe qui, et si tu savais tout sur moi, tu saurais que ça veut dire beaucoup.

Catty voulut lui demander une explication, mais il se pencha sur elle. Elle crut qu'il allait l'embrasser, mais il la taquina, sans poser ses lèvres sur les siennes. Leurs haleines se mêlèrent. Quand leurs bouches se rencontrèrent enfin, Catty ressentit une douce commotion.

Toute l'inquiétude qui la rongeait sembla disparaître. Il n'y avait plus que Chris, et les sensations de son corps. Elle s'était souvent imaginée ce baiser, mais même dans ses rêves les plus fous, il n'avait jamais paru aussi bon que celui-là.

Quand leur étreinte cessa, elle ouvrit les yeux et surprit un désir intense dans son regard. Puis il disparut. Ou était-ce son imagination ?

– Chris…

Elle voulut lui dire ce qui l'inquiétait, mais il lui ferma la bouche d'un autre baiser.

Chapitre 10

Catty attendait anxieusement que M. Hall leur rende leurs contrôles de géométrie. Il s'arrêta devant sa table, tapotant sa copie. Il lui jeta un regard soupçonneux derrière ses petites lunettes à monture noire, puis lui tendit son devoir.

Un gros 18 rouge trônait en haut de la page. Catty voulut prendre la copie mais ses mains tremblaient tellement que des élèves autour d'elle commencèrent à la regarder. La veille, elle avait été la première à rendre son contrôle : pas parce qu'elle avait étudié, mais parce que les questions étaient les mêmes que celles du papier trouvé à la morgue.

Catty contempla sa copie. Elle voulait comparer la nouvelle et l'ancienne, mais elle savait que si elle sortait celle-ci en classe, M. Hall l'accuserait d'avoir triché.

N'y tenant plus, elle prit son sac et alla trouver le professeur, assis à son bureau.

– Je peux avoir la clé des toilettes ? chuchota-t-elle.

Agacé, M. Hall grogna :

– Le cours vient de commencer.

– C'est un problème de fille, insista-t-elle à voix basse.

M. Hall ouvrit son tiroir et sortit la clé :

– Ne la perds pas cette fois-ci.

– Promis.

Elle lui fit un sourire nerveux. Comment pourrait-elle jamais lui expliquer qu'elle avait perdu la clé précédente quelque part dans le temps ?

Elle quitta la salle de classe en hâte. Jimena, Séréna et Vanessa lui jetèrent un regard inquiet.

Elle remonta le couloir. Derrière les portes, on entendait les voix des professeurs. Elle sortit sur l'arrière et trouva un banc, près de l'allée envahie de mauvaises herbes qui reliait le gymnase au bâtiment principal. Les rayons matinaux du soleil baignaient le mur de stuc. Pourtant, ils ne la réchauffèrent pas. Catty posa la première copie devant elle, puis sortit la seconde de son sac. Elle les compara, ébahie. Elles étaient identiques. Même les 18 en rouge se ressemblaient parfaitement.

Elle resta un long moment à contempler les deux contrôles, en se demandant ce qu'ils signifiaient. Elle allait retourner en cours quand une ombre se posa sur les copies.

Au moment où elle se retournait, elle sentit son amulette lunaire vibrer sur sa poitrine. Elle se tendit, tous les sens aux aguets.

Stanton se tenait derrière elle, vêtu de noir ; ses cheveux blonds lui tombaient sur le front. Il était séduisant, d'une manière dangereuse, qui donnait envie à Catty de se plonger pour l'éternité dans ses yeux bleu profond.

– Catty, fit-il d'une voix irritée.

– Quoi ? répondit-elle avec froideur.

Elle prit son sac et recula d'un pas.

Catty se demandait souvent quel acte maléfique Stanton avait commis pour que l'Atrox lui donne l'immortalité. Même s'il plaisait à Séréna, Catty le considérait comme un être purement maléfique. D'ailleurs, elle n'avait jamais cru que Stanton tenait à Séréna pour de bon. À son avis, il se servait d'elle, rien de plus. Une compétition sans merci opposait les Suiveurs pour parvenir à un rang élevé au sein de la hiérarchie de l'Atrox. La plus grande récompense pour un Suiveur, c'était de séduire une Fille de la Lune et de lui voler ses pouvoirs.

Catty rangea les deux contrôles et fit face à Stanton. Avant même qu'elle ait perçu un mouvement de sa main, il lui arracha son sac.

– Rends-le moi.

Elle tendit la main, mais il l'avait déjà ouvert et le fouillait. Dépité, Stanton lui lança le sac.

– On m'a dit que tu possédais le Parchemin perdu, dit-il d'une voix grondante de colère. Où est-il ?

Catty se préparait à l'affrontement. Elle se redressa, anticipant son attaque.

– Tu t'imagines que je vais te le donner ?

– Ce manuscrit appartient à ma famille, répondit Stanton plus calmement.

Catty s'efforçait de ne pas le regarder dans les yeux, mais c'était difficile tant leur beauté la fascinait.

– Qu'est-ce qui te fait croire ça ? lança-t-elle sur un ton de défi. L'héritière, c'est moi.

Une ombre passa sur le visage de Stanton.

– À la fin du treizième siècle, mon père a accompli une quête et a trouvé ce parchemin. Il m'appartient, désormais.

Sans prévenir, son esprit entra en elle avant qu'elle puisse le repousser. Le cœur de Catty se mit à battre la chamade – mais elle n'eut pas l'impression qu'il allait lui faire du mal. Il semblait se retenir, comme s'il craignait de l'effrayer. Tout à coup, les souvenirs de Stanton la submergèrent comme un torrent furieux, tournant et tourbillonnant autour d'elle à une vitesse croissante. Saisie de vertige, Catty dut se retenir à Stanton pour ne pas tomber. Enfin, la spirale folle s'arrêta et elle se concentra sur un souvenir.

L'image s'ouvrit devant elle. Catty hésita à s'avancer. Stanton avait déjà emprisonné Vanessa dans l'un de ses souvenirs, mais Vanessa avait tenté de sauver Stanton enfant de l'Atrox. En conséquence, Stanton ne pouvait plus faire de mal à Vanessa. Catty, elle, n'avait aucune garantie.

Stanton pouvait la piéger à jamais dans ses souvenirs. Catty se sentait impressionnée, mais pas effrayée.

Elle posa le pied sur un sol dur, et faillit glisser sur une peau d'animal. Des crucifix et des chandeliers étaient disposés partout dans la petite pièce. Des tapisseries pendaient aux murs de pierre, et un feu crépitait dans un coin. Trois hommes étaient assis autour d'une table recouverte d'un tissu délicat. Deux d'entre eux portaient la robe à capuchon des moines. Catty ne distinguait pas leurs visages. Elle comprit ce qu'ils regardaient. Le Parchemin secret se trouvait au milieu de la table.

Le troisième homme contemplait le feu. Il ressemblait à Stanton. Vanessa lui avait appris que le père de Stanton avait été un grand prince d'Europe occidentale au treizième siècle. Il avait levé une armée pour partir en croisade contre l'Atrox, mais l'Atrox avait enlevé Stanton pour l'arrêter.

Au début, Catty ne comprit pas la langue, mais Stanton remédia sans doute à la situation : les paroles échangées devinrent claires, tout à coup.

– Ma mission a toujours été de combattre le Mal par la force des armes, déclarait calmement le père de Stanton, pas par des prières.

Sa voix douce et bonne éveilla des échos en Catty.

– La Voie du Manuscrit est la seule, dit l'un des moines.

– Je sais, reconnut le père de Stanton, mais j'ai déjà choisi ma voie. (Il se dirigea vers la cheminée, fixant les flammes :)

– Il faut protéger le manuscrit en attendant de trouver un héritier, un être au cœur pur qui pourra combattre l'Atrox si j'échoue. (Il fit volte-face :) Même si l'Atrox me prend, vous ne devrez pas échanger ce manuscrit contre ma liberté.

Les moines acquiescèrent.

Le père de Stanton reprit :

– J'ai deux fils. L'un d'entre eux survivra sûrement. Quand il sera en âge, vous lui donnerez le manuscrit.

Les moines se tournèrent vers un coin de la pièce. Assis sur une chaise se trouvait un petit garçon aux cheveux blonds. Ce devait être Stanton. Il avait déjà ses yeux bleus séduisants. Il paraissait effrayé par ce qui se disait autour de lui.

– Nous avons désigné un gardien pour le manuscrit, dit un moine. Un chevalier noble et puissant, qui risquera sa vie pour le protéger.

Le père de Stanton se rassit à la table.

– Ce sera tout, alors.

Les moines glissèrent le parchemin dans un étui en cuir, puis sortirent lentement.

Le souvenir commença à s'estomper, mais Catty ne voulait pas quitter cet homme. Elle voulait lui parler. Peu à peu, la vision se brouilla, et elle se retrouva au lycée La Brea, face à Stanton.

– Maintenant, tu as vu qu'il était bien à moi, déclara-t-il tout de go. J'attends donc qu'il me revienne.

– Non… murmura Catty. J'ai reçu le manuscrit…

– Sa malédiction représente un danger terrible pour son détenteur, la prévint-il. Es-tu prête à l'affronter ?

Catty n'avait pas vraiment réfléchi à cette malédiction. Kendra et Maggie y avaient toutes deux fait allusion, mais Catty avait pensé qu'il s'agissait d'une superstition – jusqu'à présent.

– Ce n'est pas vrai ?

Elle avait voulu énoncer une affirmation, mais cela ressemblait plutôt à une question.

– Au fil des siècles, ce manuscrit a toujours porté malheur à son possesseur.

Catty hésita. Était-ce pour cette raison que Maggie avait paru tellement effrayée ?

– Les Filles de la Lune doivent éviter tout contact avec le Parchemin secret, ajouta Stanton.

Catty réfléchit à cette mise en garde. Elle ne faisait pas confiance à Stanton, alors pourquoi le croire ?

– Si tu veux le manuscrit, c'est tout simplement pour le donner à l'Atrox et gagner une place d'honneur dans son Cercle intérieur.

– Le Cercle intérieur, répéta Stanton avec un dédain manifeste. Quelle ignorance.

Il tressaillit et tendit l'oreille, comme s'il venait d'entendre un bruit bizarre.

Il voulut prendre Catty par la main, mais elle s'écarta.

– Suis-moi, lui ordonna-t-il.

– Ça risque pas, rétorqua Catty.

– Je t'aurai prévenue, fit-il en se dirigeant vers le gymnase. Allez, dépêche-toi. Tu ne les sens pas ?

Catty étreignit son sac. Un calme inhabituel régnait.

– Qu'est-ce que c'est ?

– Les Régulateurs. Viens ! Il faut qu'on s'échappe dans le temps, siffla Stanton.

– Pourquoi est-ce que je devrais t'amener dans le temps pour te sauver ? Ça m'est égal que les Régulateurs te détruisent. Ça fera un Suiveur de moins, un souci de moins.

– Tu ne comprends vraiment rien, répliqua-t-il avec mépris. Il est encore temps. Ramène-nous au jour où tu as été abandonnée en bord de route.

Catty frissonna :

– Comment tu sais que j'ai été abandonnée ?

Tout à coup, elle pensa à Séréna. Irritée, elle se demanda combien de secrets Séréna avait partagés avec lui.

Derrière elle, des pas lourds résonnèrent sur le sol bétonné. Les trois Régulateurs de la morgue se dirigeaient vers elle. Catty vit Stanton disparaître dans un couloir.

– Attends-moi, murmura-t-elle.

Elle se mit à courir dans le couloir, en le cherchant du regard. Il la saisit par la main et l'attira dans l'une des cabines des toilettes hommes, la serrant contre elle.

– Ramène-nous, lui ordonna-t-il.

– Tu ne comprends pas, gémit Catty. Pour l'instant, je ne suis jamais arrivée à remonter si loin dans le temps. Ça bloque toujours.

Les bruits de pas se rapprochèrent.

– Donne-moi la main, lui intima Stanton.

– Pourquoi ?

– On n'a plus le temps. Tu veux t'en sortir ?

Catty regarda Stanton. Pouvait-elle lui faire confiance ?

Chapitre 11

Catty prit Stanton par la main. Sa puissance phénoménale l'envahit. La cabine sembla flotter, se fragmenter, puis exploser dans un éclair blanc. Le tunnel les aspira. Stanton ne l'avait pas lâchée, mais il avançait bien plus vite qu'elle. Cette chute libre lui retournait l'estomac. Elle avait du mal à respirer. Catty comprenait maintenant pourquoi Vanessa avait horreur de voyager dans le temps. L'air lui manquait. Au moment où elle croyait s'évanouir, ils retombèrent dans le temps.

Stanton atterrit sur ses pieds, mais Catty s'étala sur le sol aride et poussiéreux. Elle resta allongée sur le sable, essayant de reprendre son souffle. Stanton faisait les cent pas. Son ombre passait et repassait sur elle. Le soleil éblouissant lui cinglait les bras et le visage.

Catty regarsa autour d'elle. De grands cactus épineux l'entouraient.

Elle se leva malgré son vertige, essuyant le sable et la poussière sur son visage. Elle se trouvait sur un éperon rocheux, d'où elle observa le vaste paysage. D'un arroyo tout proche s'échappait un panache de fumée noire. Elle s'approcha. L'air était chargé de la puanteur du caoutchouc et du pétrole brûlé.

Tout au fond, Catty aperçut le squelette calciné d'une voiture accidentée. Cette vision éveilla un souvenir. Elle se rappela le choc et l'incendie. Simplement, elle ne se trouvait pas dans le véhicule : elle l'avait regardé se consumer, comme elle était en train de le faire.

Stanton lui montra quelque chose du doigt.

Catty faillit s'étrangler. Âgée de six ans, elle errait le long de la route, avec ses sandales, son short rouge informe et un grand chapeau qui n'arrêtait pas de tomber.

Des larmes lui vinrent aux yeux. Stanton lui posa la main sur l'épaule.

Tout à coup, une voix s'écria :

– Stanton !

– C'est ma mère ? demanda Catty.

– Oui.

Le cœur battant à tout rompre, Catty se retourna lentement.

Une femme mince, aux grands yeux noisette, avec une abondante chevelure où jouait le soleil, se dirigeait vers eux. Elle portait un jean coupé et un T-shirt blanc. Ses mains et ses genoux écorchés saignaient.

– Stanton ! répéta sa mère.

– Elle te connaît ? demanda Catty à Stanton.

Comment était-ce possible ?

– Je t'en prie, Stanton, dit sa mère en montrant la petite Catty qui avançait dans le lointain. Enlève-lui ses souvenirs pour qu'elle vive en sécurité.

– Je ne peux pas, Zoe, murmura-t-il.

Catty les dévisagea tour à tour. Il connaissait même son nom. Comment cela se faisait-il ?

– Je t'en prie, le supplia Zoe. Si elle n'a plus de souvenirs, les Régulateurs ne la retrouveront pas. Tu dois la sauver.

Malgré la chaleur, Catty se mit à trembler. Pourquoi les Régulateurs l'avaient-ils poursuivie quand elle était enfant ?

Stanton contempla la petite Catty qui longeait la route.

– Ce qui t'est arrivé, tu veux que ça lui arrive aussi ? dit Zoe à voix basse. Ce n'est qu'une enfant… comme tu l'étais.

Stanton hésita, puis ferma les yeux et se concentra.

– Merci.

Zoe poussa un soupir de soulagement.

– C'est fait, lança Stanton.

Zoe sembla enfin se détendre.

– Peut-être même qu'elle mènera une vie normale, dit-elle enfin.

Catty entendit le chuintement de pneus sur l'asphalte brûlant. La vieille Chevrolet de Kendra s'arrêta sur le bas-côté. Elle n'entendait pas ce que Kendra disait à la petite Catty, mais elle le savait déjà.

Catty observa la réaction de Zoe.

– Occupez-vous bien d'elle, murmura-t-elle.

Elle s'effondra dans les bras de Stanton.

La petite Catty monta en voiture avec Kendra.

– Mais qu'est-ce qu'elles font ? demanda Zoe nerveusement.

– Patience, Zoe, chuchota Stanton.

Catty grimpa sur une petite colline pour mieux voir sa mère et la voiture de Kendra.

Le soleil baissait et les cactus jetaient de longues ombres sur le sol quand Kendra démarra enfin. Catty redescendit, le visage en feu, brûlé de coups de soleil.

– Elle est en sécurité, à présent.

Zoe essuya les larmes qui perlaient à ses yeux. Elle se tourna vers Stanton avec un sourire où perçait la tristesse. Tout à coup, elle remarqua Catty.

– Qui est ton amie ? demanda-t-elle à Stanton.

Elle aperçut l'amulette lunaire de Catty, puis plongea son regard dans le sien.

– Zoe, dit Stanton, je te présente ta fille.

Zoe jeta un regard incrédule à Stanton, puis dévisagea Catty, éberluée. Elle tendit la main, caressant les joues de sa fille, ses lèvres, ses cheveux.

– Je vois ton père dans ton visage, murmura-t-elle, plus pour elle-même que pour Catty. Je te donne, et tu me reviens le même jour. Au moins, je sais que tu es arrivée en sécurité dans le futur.

Elle ouvrit les bras à sa fille.

Catty ferma les yeux, dans l'attente de cette étreinte qu'elle avait si souvent imaginée – mais soudain, Zoe s'écarta.

– C'est trop dangereux, expliqua-t-elle. Tu dois partir. Les Régulateurs me surveillent en permanence. Stanton, pourquoi l'as-tu emmenée ici ?

Catty observa Stanton : lui avait-il tendu un piège ?

– Je voulais que tu lui parles du Parchemin secret, répondit Stanton.

– Elle l'a déjà reçu ? demanda Zoe d'un air surpris.

L'angoisse la saisit de nouveau. Effondrée, elle demanda :

– Comment est-ce possible ?

– Mais... intervint Catty, pourquoi est-ce que les Régulateurs me poursuivent tout le temps ? Je croyais qu'ils s'occupaient seulement des Suiveurs qui se rebellaient contre l'Atrox, ou qui désobéissaient à ses ordres ? Qu'est-ce qu'ils me veulent ? »

Zoe scruta le désert :

– Je n'ai pas le temps de t'expliquer, Catty. Donne-moi ton adresse, je te retrouverai dans le futur. C'est tout ce que je peux faire.

Catty fouilla dans son sac à la recherche d'un bout de papier. Elle griffonna dessus son nom et son adresse et le tendit à sa mère.

– Je te reverrai plus tard, quand nous serons en sûreté. C'est promis.

Zoe étreignit sa fille, puis s'écarta.

– Ramène-la maintenant, Stanton.

Catty regarda le papier qu'elle avait donné à sa mère. Stupéfaite, elle vit qu'il s'agissait de sa copie de géométrie.

Stanton lui prit le poignet. L'air se mit à bruisser.

– Attends ! cria Catty. (Elle sortit l'amulette noircie de son sac et la tendit à sa mère.) Tiens.

– Tu l'as ? fit Zoe, abasourdie. Je croyais qu'on me l'avait prise. Elle la contempla avec tendresse et se la passa autour du cou.

Catty lui sourit :

– À bientôt dans le futur.

– À bientôt, dit Zoe en lui rendant son sourire.

Catty sentit l'énergie de Stanton envahir son corps. Bouleversée, sa mère lui cria :

– Méfie-toi de Maggie ! (Le visage déformé par le chagrin, elle ajouta :) Je t'aime.

Autour d'elle, le désert se déforma, puis se brisa comme un panneau de verre. Il y eut une explosion de lumière, et ils furent aspirés par le tunnel. Catty ferma les yeux, en proie à une tempête d'émotions. Elle pensa à sa mère, puis à Maggie. Pourquoi Zoe lui avait-elle dit de s'en méfier ?

Ils atterrirent dans une petite rue tranquille, près de la maison de Kendra. Il faisait déjà sombre. On n'entendait que le bruit de l'arrosage sur une pelouse. Catty faillit tomber, mais Stanton la rattrapa.

– Maintenant, tu sais que le Parchemin te met en danger, déclara Stanton.

– Oui.

– Si tu me le donnes, tu seras en sécurité.

Catty n'arrivait toujours pas à lui faire confiance :

– Pourquoi est-ce que tu ne crains pas la malédiction, toi ?

– Parce que je suis déjà maudit, dit Stanton avec un sourire amer.

Ces mots la glacèrent. Elle ressentit une grande pitié pour lui.

– Réfléchis à mon offre, murmura Stanton, avant de disparaître dans les ombres.

Catty resta un moment dans l'obscurité, à se demander pourquoi Stanton désirait tant ce manuscrit, si ce n'était pas pour le remettre à l'Atrox. Pourtant, il ne semblait pas aussi mauvais qu'elle l'avait cru. Elle comprenait presque pourquoi il plaisait autant à Séréna.

Catty se demanda pourquoi sa mère lui accordait sa confiance. Elle rentra à la maison, gardant en mémoire le visage de Zoe.

Quelques minutes plus tard, Catty se faufilait entre les lauriers-roses qui poussaient sur la barrière du jardin. Elle entra, précédée d'une douce brise. Des clochettes tintèrent.

Elle referma la porte derrière elle, pensant trouver Kendra furieuse parce qu'elle n'était pas rentrée à temps pour garder le magasin. Personne. La maison était aussi sombre et silencieuse qu'une tombe, à peine éclairée par les lampadaires de la rue.

L'espace d'un instant, Catty crut que Stanton ne les avait pas ramenés assez loin dans le futur, qu'elle allait monter les escaliers quatre à quatre et trouver Kendra au lit, en train de lire. Kendra lui ferait couler son bain, comme quand elle était petite, et elle irait se coucher, insouciante. Comme tout était simple alors.

Catty soupira et alla à la cuisine. La pendule indiquait neuf heures.

Elle prit son téléphone pour appeler Vanessa. Sa mère répondit.

– Est-ce que Vanessa est là ? demanda-t-elle.

– Salut Catty, répondit la mère de Vanessa. Elle est partie à la fête avec Toby. Tu n'y vas pas ?

Catty avait oublié la fête.

On sonna à la porte. Ce devait être Chris.

Chapitre 12

Catty alla ouvrir. Chris lui sourit, dégageant une senteur épicée d'après-rasage. Il avait l'air plus mignon que jamais.

– J'ai essayé de t'appeler tout l'après-midi, dit-il en lui tendant un bouquet de roses rouges.

– Merci, fit-elle en respirant l'odeur des fleurs.

Il observa Catty, s'attardant sur ses pieds et ses vêtements. Une expression curieuse passa sur son visage. Tout à coup, Catty comprit qu'elle était couverte de poussière du désert, de coups de soleil et de transpiration. Elle n'osait même pas imaginer à quoi elle ressemblait. Elle se frotta la joue : est-ce qu'elle avait encore du sable dessus ?

– J'ai travaillé dans le jardin, mentit-elle.

– À neuf heures du soir ? demanda-t-il ironiquement.

– Chris, je ne peux vraiment pas t'accompagner à la fête ce soir.

Il s'accouda au comptoir de la cuisine et lui sourit. Elle remarqua ses dents régulières, blanches et saines comme s'il avait mangé des pommes toute sa vie. Elle lutta contre l'envie de l'embrasser.

– Pourquoi pas ? demanda-t-il. Tu n'as qu'à prendre une douche rapide. Pas besoin de t'habiller spécialement, tout le monde y va comme ça.

Catty prit un vase, le remplit d'eau et y disposa les roses.

– Je suis épuisée. En plus, j'ai besoin de réfléchir. Ça ne t'arrive jamais d'avoir envie d'être seul ?

– Si, bien sûr, murmura-t-il en se dirigeant vers elle.

Elle leva les yeux et vit son reflet dans ses pupilles. Il lui caressa l'épaule.

– J'aimerais être seul avec toi, continua-t-il. On pourrait rester ici et regarder un film.

Il lui prit doucement les mains, sans se préoccuper de leur état.

– Ce n'est pas à ça que je pensais, répondit-elle.

– Je ne veux pas que tu rates cette fête, c'est tout, lui chuchota-t-il à l'oreille.

Il se trouvait tout près d'elle, assez près pour l'embrasser. Sa cuisse frottait contre la sienne. Catty éprouva un frisson de plaisir.

– Viens. S'il te plaît. (Ses mots semblaient autant de caresses. Il l'enveloppait de ce regard rêveur qui lui donnait le vertige.) Viens avec moi, Catty.

Il se pencha sur elle et fit glisser un doigt sur son visage, sur sa gorge. Elle le laissa l'embrasser.

– Viens avec moi, murmura-t-il entre deux baisers.

Catty se dit avec horreur qu'elle faisait partie de ces filles prêtes à dire oui, simplement parce qu'un garçon les embrassait.

– Je vais me doucher en vitesse, dit-elle enfin.

– Super.

Ils traversèrent les collines de Brentwood. L'odeur des incendies y était plus forte, et piquait les yeux de Catty. Au sommet de la colline, Chris gara sa vieille Volvo et sortit. En ouvrant la portière, Catty entendit la musique. Chris lui prit la main et ils se dirigèrent vers une immense maison, avec des colonnes imposantes et une grille en fer forgé.

– À qui est cette maison ? demanda-t-elle en pénétrant dans le hall.

– À Jerome, répondit Chris. Il joue de la grosse caisse dans la fanfare. Son oncle est avocat à Hollywood.

Ils arrivèrent dans un grand patio, déjà rempli de jeunes qui dansaient. De l'autre côté de la piscine, un groupe jouait sur une terrasse, se lançant à corps perdu dans un hard rock effréné. Des jeunes vêtus de noir se pressaient autour de l'estrade, agitant la tête en cadence.

– La musique va bientôt changer, lui chuchota Chris. On pourra danser.

Catty se pelotonna contre Chris, heureuse de sentir son bras autour de sa taille. Finalement, elle était contente d'être là.

Elle voulut proposer à Chris d'aller admirer la vue, mais il se dégagea tout à coup.

– Qu'est-ce qu'il y a ? lui demanda-t-elle.

– Rien, marmonna-t-il sans la regarder. (Il scrutait la foule des danseurs. Avait-il reconnu quelqu'un ?) Heu... fit-il en s'écartant. Tu veux manger un morceau ?

– Non, ça va.

Il s'éloignait déjà.

– Je vais nous chercher des Coca. Il disparut dans la foule sans se retourner.

Catty s'assit en soupirant sur une chaise, à l'ombre des jacarandas. Chris fit rapidement le tour de la piscine et s'arrêta devant une table couverte de chips et de sodas. Il prit deux Coca, mais au lieu de revenir vers Catty, il disparut à l'intérieur.

Que faisait-il ? Le temps que Chris revienne, le groupe de hard rock avait terminé. Trois rappeurs de La Brea les suivirent sur scène, dansant agilement, les bras et les jambes synchronisés.

– Tiens. (Chris lui tendit un Coca, puis s'assit sur la pelouse à côté d'elle. Il ouvrit une boîte de cookies.) Tu en veux un ? lui proposa-t-il en se servant.

Catty prit une profonde inspiration, puis lui déclara :

– Chris, tu devrais peut-être me ramener.

– Te ramener ? demanda-t-il d'un ton peiné.

– Écoute, je n'ai pas l'impression que tu aies envie d'être avec moi. Sinon, tu ne te serais pas enfui dès notre arrivée.

– Je croyais que tu voulais quelque chose à manger.

– Je t'ai dit que non.

– C'est avec toi que je veux passer la soirée, reprit Chris. Sinon, pourquoi je te l'aurais demandé ? Je pensais qu'on s'amuserait bien.

Pourtant, à ce moment même, il parcourait la foule du regard.

– Tu sais, insista Catty, je ne veux te partager avec personne.

– Pardon ?

– Tu passes ton temps à regarder autour de toi, comme si tu avais peur qu'on nous voie ensemble. Il n'y a qu'une seule explication.

– Laquelle ? demanda-t-il, interloqué.

– Tu as une autre copine.

Il la regarda, incrédule.

– Merci, dit-il enfin.

– Merci ? répéta-t-elle, surprise à son tour. Comment ça, « merci » ?

– Merci : ça veut dire qu'à ton avis, on ne devrait pas voir d'autres gens, expliqua-t-il d'un air heureux.

– Je n'ai pas dit ça, protesta-t-elle.

– Mais si : tu veux qu'on soit rien que tous les deux.

– Je n'ai pas dit ça… enfin, pas exactement, sourit Catty. D'accord, ça veut dire rien que toi et moi – mais ce n'est pas ça le problème. Tu te comportes comme si…

Chris bondit :

– Je reviens de suite. J'ai oublié les pizzas.

Il courut vers la maison. Catty poussa un juron. Quelle erreur d'être venue ! Elle aurait dû rester chez elle, comme prévu.

Jimena et Séréna apparurent de l'autre côté de la piscine, habillées en cuir, comme des motardes. Séréna portait des bottes à talons interminables, un blouson de moto cintré et une minijupe. Jimena arborait des bottines, un haut en cuir ouvert dans le dos, et une jupe assortie bien moulante.

Catty se dirigea vers elles, se frayant un chemin dans la foule qui dansait au bord de la piscine.

– Où vous avez trouvé ces fringues ? demanda-t-elle.

– Chez la mère de Vanessa, répondit Séréna. Tu aurais dû venir.

La mère de Vanessa travaillait comme styliste dans le cinéma. Elle portait des vêtements à la mode avant tout le monde. C'était son travail : elle devait avoir un an ou deux d'avance sur les autres. Parfois, ça gênait Vanessa d'avoir une mère tendance à ce point. Catty, elle, adorait essayer ses créations.

– J'aurais bien aimé vous accompagner, approuva Catty en contemplant leurs tenues provocantes, mais j'ai dû remonter dans le temps. Il faut que je vous en parle à toutes les trois. C'est vraiment important. Où est Vanessa ?

– Regarde, dit Jimena en lui montrant le patio.

Au milieu des danseurs, Vanessa ondulait avec Toby au rythme de la musique. Elle portait une jupe en cuir noir fendue sur le côté avec un blouson court qui lui dénudait le ventre, splendidement mis en valeur par des chaînes en or.

– Vanessa ? s'étrangla Catty.

– À ton avis ? fit Séréna.

– Depuis quand elle s'habille comme ça ? demanda Catty. (Vanessa était toujours élégante, mais avec discrétion.) C'est pas du tout du Vanessa, cette tenue.

– C'est Toby qui a choisi, expliqua Jimena.

Vanessa renversa la tête en arrière, regardant Toby dans les yeux. Après tout, il lui plaisait peut-être, se dit Catty.

Toby faisait sans cesse courir ses doigts sur la taille dénudée de Vanessa. Chaque fois qu'il se rapprochait, ses lèvres remuaient près de sa joue, comme s'ils échangeaient des secrets, mais Vanessa regardait tout le temps ailleurs.

Pourtant, Catty n'arrivait pas à se débarrasser de ce mauvais pressentiment.

Catty aperçut Michael non loin de là. Il observait Vanessa sans même essayer de cacher sa jalousie. D'autres filles venaient l'aborder, mais il n'avait d'yeux que pour Vanessa.

La musique s'arrêta, et Vanessa courut les rejoindre.

– Où tu étais ? demanda-t-elle à Catty. Tu as raté le meilleur.

– Je suis retournée voir ma mère, annonça Catty.

Ses amies la dévisagèrent, incrédules.

Jimena fut la première à reprendre ses esprits :

– Si on allait un peu plus loin, qu'on puisse parler en privé ?

– Comment tu as fait pour remonter aussi loin dans le temps ? s'enquit Séréna.

– Stanton m'a emmenée.

– Stanton ? fit Séréna, les yeux écarquillés. Tu l'as vu ? Il va bien ?

– Oui. Il m'a aidée à échapper aux Régulateurs, puis il m'a ramenée dans le temps pour voir ma mère.

– Je suis contente qu'il aille bien, dit Séréna avec un sourire triste.

Catty comprit qu'il lui manquait toujours. Elles arrivèrent au buffet. Jimena se servit un Pepsi, puis demanda à Catty :

– Et ensuite, qu'est-ce qui s'est passé ?

Catty leur raconta son après-midi. Séréna n'arrêtait pas de l'interrompre pour poser des questions sur Stanton, mais Catty réussit à finir son récit. Elle conclut d'un air hésitant :

– À mon avis, on a commis une erreur en donnant le manuscrit à Maggie.

– Pourquoi ? demanda Vanessa, surprise.

– Au moment où je partais, ma mère m'a dit de me méfier d'elle.

– Tu n'as peut-être pas bien entendu ? suggéra Séréna.

– Non, c'est bien ce qu'elle a dit.

– Moi, je fais confiance à Maggie, intervint Jimena.
– Moi aussi, dit Catty, mais je suis inquiète. Je veux qu'elle me rende le manuscrit.
– Non. Il vaut mieux qu'elle le garde, coupa Jimena.
– Pourquoi ?
– Parce que j'ai eu une prémonition, déclara Jimena.
– Qu'est-ce que tu as vu ? demanda Vanessa.
Jimena regarda fixement Catty :
– J'ai vu Catty détruire le manuscrit.
– Moi ? Tu en es sûre ? Mais je suis l'héritière !
– Oui, j'en suis sûre, dit Jimena.
– Dans tes prémonitions, les apparences sont parfois trompeuses, intervint Séréna. Ce n'est pas forcément si grave que ça.
Catty croyait Jimena, mais elle-même avait une étrange intuition. Elle sentait une trahison dans l'air, liée au manuscrit et à Maggie.
– Pourtant, dit Vanessa, si le manuscrit est maléfique, il faut le détruire.
– Comment ça, maléfique ? demanda Séréna. S'il doit nous aider à détruire l'Atrox, il ne peut pas être maléfique.
– On ne sait toujours pas si c'est vrai, se défendit Vanessa. En fait, on ne sait rien sur ce manuscrit, ni sur le type qui l'a donné à Catty.
– Il n'avait pas l'air maléfique, dit Catty en repensant à l'inconnu ganté. Il semblait… (elle chercha le mot)… magnanime.
– Et si ce manuscrit était faux ? fit remarquer Vanessa. S'il s'agissait d'une ruse de l'Atrox ?
– C'est quoi, l'Atrox ? demanda une voix derrière eux.
Elles se retournèrent. Toby se tenait dans la pièce, souriant et sirotant son Coca. Avait-il écouté toute leur conversation ?
Catty jeta un regard furieux à Vanessa. Elle recula, imitée par Séréna et Jimena. Toby s'appuya au mur et les regarda s'éloigner vers la piscine.

– Pourquoi est-ce que ton copain passe son temps à écouter aux portes ? demanda Catty.

– Pas du tout, répliqua Vanessa indignée. Il veut discuter, c'est tout.

– Tu te plaignais de Michael qui ne te donnait pas assez d'espace, lança Catty, mais Toby, lui, il ne te laisse même pas respirer.

– Hé, si Michael te plaît tant que ça, tu peux sortir avec lui, répondit froidement Vanessa.

– Catty n'est pas la seule à en avoir marre que Toby laisse traîner ses oreilles partout, intervint Séréna.

– Laissez-lui sa chance, les filles. J'ai vraiment un lien fort avec lui.

Séréna et Jimena échangèrent un regard surpris.

– Vanessa… commença Catty. Tout le monde a l'impression que tu tiens encore à Michael. Tu le cherches toujours du regard…

– Non, c'est Toby qui me plaît. Je ne pense qu'à lui, répondit Vanessa.

– Hé, vous parliez de moi ?

Toby se tenait à nouveau à côté d'elles. D'où sortait-il ?

Le nouveau groupe attaqua un morceau de swing.

Toby entraîna Vanessa :

– Allez, on va leur montrer ce qu'on a appris en cours.

– Ouiii ! cria Vanessa. Venez, les filles, faut que je vous montre ce que je fais, maintenant !

En s'en allant, Catty posa la main sur la table métallique. Une étincelle jaillit de ses doigts. Elle retira sa main en vitesse.

– Bizarre, marmonna-t-elle.

– Regardez Vanessa ! fit Jimena.

Toby et Vanessa se mirent à danser le Lindy Hop. Vanessa passait en virevoltant dans les bras de Toby, qui la ramenait à lui avant de la lancer de nouveau. Ils firent un pas de côté. Toby saisit Vanessa et la fit littéralement s'envoler sur son dos.

Les spectateurs applaudirent.

– Incroyable, non ? demanda Séréna.

– Elle est bien, commenta Catty.

– Je te parle pas de sa danse, expliqua Séréna, mais des sous-vêtements rétro qu'elle porte, avec le porte-jarretelles, tout ça. Trop classe.

Jimena se mit à rire :

– L'amour l'a vraiment changée !

– Vanessa ne trompe qu'elle-même, murmura Catty.

Chapitre 13

Catty se dirigea vers l'arrière de la maison. Le bruit de la foule et de la musique résonnait dans sa tête, lancinant. Elle ne se sentait pas bien. Ce devait être la chaleur ou l'odeur des derniers incendies. Elle voulait rentrer chez elle, mais Chris avait disparu et elle n'avait pas envie de marcher, ni de prendre un bus.

Elle descendit un grand escalier de pierre, contourna une haie de lauriers et découvrit une petite roseraie qui offrait un vaste panorama sur Los Angeles. Les lumières de la ville formaient un dessin géométrique en contrebas.

Elle s'assit sur un petit banc en fer forgé pour contempler la lune.

La douleur irradiait sous son crâne. Catty essaya de remettre de l'ordre dans ses pensées, après tout ce qui s'était passé dans la journée. Elle commençait à se détendre quand un bruit d'herbes froissées la fit tressaillir.

Le bruit se répéta. Elle voulut se retourner, mais une main gantée l'en empêcha.

– Ne te retourne pas.

C'était la voix de l'inconnu de la morgue.

Le cœur battant, Catty comprit qu'elle avait ardemment désiré le revoir. Était-elle en train de tomber amoureuse d'un homme qu'elle ne connaissait pas ?

– Qu'attends-tu pour agir ? reprit la voix d'un ton irrité.

Elle semblait quelque peu familière. Catty se concentra, essayant de l'identifier.

– Tu dois suivre la Voie du Manuscrit.

– J'ai donné le manuscrit à quelqu'un, expliqua-t-elle.

– Quoi ?

Où avait-elle entendu ces intonations ?

– J'ai donné le manuscrit à une personne qui me guide…

– Tu ne dois jamais le donner. Tu ne comprends donc pas à quel point c'est dangereux ?

L'inconnu reprit, d'une voix radoucie :

– Non, c'est de ma faute. J'aurais dû t'en parler davantage.

– Me parler de quoi ?

– Je t'ai donné le manuscrit parce que c'est toi l'héritière, et personne d'autre. Le Parchemin secret peut se révéler dangereux, entre les mains d'un autre.

Catty ferma les yeux. Allait-elle voir son visage ?

– Je vais le récupérer, dit-elle fermement. Promis.

– Bien.

Il se tut. Catty eut l'impression qu'il allait ajouter quelque chose, mais elle l'entendit s'éloigner d'un pas léger.

Elle se retourna aussitôt. Il avait disparu.

– Ah, te voilà.

Chris apparut derrière la haie, faillit tomber dans un buisson de roses, et s'assit sur le banc à côté d'elle.

Dans la pénombre, elle ne distinguait pas bien son visage – et espérait que lui non plus ne verrait pas son agacement.

Elle leva à nouveau les yeux vers la lune, pensant à l'inconnu – si mystérieux, si attirant. Elle aurait pu parler avec lui de tout ce qui lui était arrivé aujourd'hui, elle en était sûre. Quel dommage de ne pas pouvoir le faire avec Chris.

– À quoi tu penses ? lui demanda Chris en l'enlaçant.

– À rien.

– Dis-moi, chuchota-t-il.

– À rien.

– À ta façon de regarder la lune, je dirais que tu as un gros souci.

– Peut-être, répondit-elle. Tu peux me ramener chez moi ?

Elle sentit sa déception, mais elle ne voyait aucune raison de rester. Tous les prétextes lui seraient bons pour s'éloigner d'elle. D'ailleurs, elle voulait rentrer pour réfléchir à tous ses problèmes.

– D'accord, répondit-il.

Elle sortit de la fête avec lui. Près de la piscine, Jimena et Séréna coururent vers elle et la prirent à part.

– Qu'est-ce que tu as décidé ? lui demanda Jimena.

– Je vais laisser le manuscrit à Maggie, mentit Catty. Vous avez raison. C'est plus sûr qu'elle le garde.

Pourvu qu'elles n'aient pas lu dans ses pensées !

Chapitre 14

Le lendemain matin, la sonnerie du téléphone réveilla Catty. Elle laissa le répondeur se déclencher. C'était Vanessa. Elle avait l'air inquiète. Catty se demanda si elle allait décrocher, puis décida que non. Elle avait des projets pour la journée. Il valait mieux ne pas voir Vanessa dans l'immédiat. D'ailleurs, Vanessa voulait sans doute parler de Toby et de rien d'autre.

Chris l'appela deux fois pendant qu'elle s'habillait, en jean et sweater confortable. Sans écouter ses messages, elle sortit de chez elle et se rendit à l'arrêt de bus.

Elle descendit à l'hôpital des Cèdres et se dirigea vers Alden Street, où se trouvait l'appartement de Maggie. Elle sonna nerveusement à l'interphone, en se demandant ce qu'elle dirait si Maggie répondait – mais Maggie ne répondit pas : la chance était avec elle.

Elle appuya sur cinq boutons au hasard. Deux personnes répondirent.

– J'ai oublié ma clé, inventa-t-elle, en espérant que nul ne prendrait la peine de descendre pour vérifier qui elle était.

La porte d'entrée s'ouvrit dans un bourdonnement.

– Merci, cria-t-elle par-dessus son épaule.

Elle entra dans le hall, le visage baissé pour se dissimuler aux caméras de sécurité – même si Maggie ne risquait guère de faire part de ce délit aux autorités. Elle entra dans l'ascenseur et monta jusqu'au troisième. Les portes s'ouvrirent dans un grincement qui la fit tressaillir.

Elle sortit de l'ascenseur et s'engagea le cœur battant sur l'étroit palier extérieur qui donnait sur la cour de l'immeuble. Un moineau voletait autour du lierre poussant sur la balustrade en fer.

Catty jeta un œil derrière elle, puis enleva rapidement l'écran antimoustiques de la fenêtre. Elle posa ses mains bien à plat sur la vitre et les leva lentement. Le panneau de verre suivit. Catty avait appris ce truc à douze ans, un jour où elle avait oublié sa clé pour de bon.

Elle passa une jambe par la fenêtre, puis entra dans l'appartement, en refermant derrière elle. Elle alla rapidement à la porte d'entrée, l'ouvrit, récupéra la moustiquaire à l'extérieur et la remit en place. Enfin, elle rentra dans l'appartement et ferma la porte derrière elle, surexcitée, essayant de reprendre son souffle.

L'appartement semblait se dresser devant elle. Sans la magie de son habitante, il reprenait un aspect ordinaire, avec ses murs blanc cassé et ses voilages de dentelle qui pendaient tristement aux panneaux vitrés donnant sur un balcon. Maggie ne possédait aucun appareil électrique : on n'entendait même pas le ronron du frigidaire ou de la climatisation.

Catty commença à explorer les pièces. Elle entra dans le salon et se vit dans le miroir, au-dessus de la cheminée. Brusquement inquiète, elle réalisa que son amulette lunaire luisait. Pourquoi brillerait-elle dans l'appartement de Maggie ? Le talisman l'avertissait-il d'un danger ? Elle fit le tour de l'appartement en vitesse. L'air semblait s'épaissir. Tout à coup, elle entendit un léger cliquetis métallique. Catty se retourna. Le bruit venait de la porte d'entrée. Catty fit trois pas en arrière. Le bouton de la porte tourna. Elle s'aplatit contre la cloison et jeta un œil dans l'entrée.

Maggie entra dans l'appartement, suivie des Régulateurs que Catty avait vus à la morgue.

Catty retira vivement la tête, portant la main à sa bouche.

– Venez, dit sèchement Maggie. (Catty ne perçut aucune peur dans sa voix.) Cela ne prendra qu'un instant.

Elle entendit Maggie remonter le couloir, suivie des trois Régulateurs silencieux. Dans quelques secondes, elle tournerait… et verrait Catty. Celle-ci cherchait du regard un endroit où se cacher. Ils étaient tout proches – au point que Catty entendait la respiration sifflante de l'un d'eux. Elle fila vers un autre couloir, qui menait vers le fond de l'appartement. Elle y resta un instant, essayant de retrouver son calme.

Autour d'elle, l'air commença à se charger d'électricité statique.

Pour fuir, il lui faudrait voyager dans le temps, mais Catty ignorait si elle arriverait à se concentrer. Elle ferma les yeux et pensa très fort au tunnel. Le pouvoir jaillit dans son cerveau. Les murs se déformèrent, et sa vision se brouilla. Ses yeux se dilatèrent. Elle jeta un œil à sa montre : la grande aiguille avait commencé à tourner à l'envers. Le soulagement l'envahit. Soudain, l'aiguille s'arrêta. Elle se concentra à nouveau, le cœur palpitant, mais rien n'arriva.

– Zut, grogna-t-elle.

Elle essaya encore, mais parvint juste à se donner la migraine.

Il fallait agir, vite. Un bruit la fit tressaillir. L'un d'eux arrivait-il dans le couloir ? Catty jeta un regard inquiet vers la porte fermée à l'autre bout. Elle ne connaissait pas l'appartement de Maggie, mais ce qui se trouvait à l'intérieur ne pouvait pas être plus dangereux que ce qui arrivait.

Elle posa la main sur la poignée, la tourna précautionneusement et entra dans la chambre, refermant la porte derrière elle.

La pièce était vide, sauf une petite table ouvragée dans un coin. Le manuscrit était posé dessus. Catty s'en empara.

Elle resta là, plongée dans ses pensées, quand tout à coup, elle entendit le bruit de la poignée qui tournait. Elle lâcha le manuscrit et fit face au nouveau venu.

Chapitre 15

Résignée, Catty regarda la porte s'ouvrir.

Personne.

Elle poussa un soupir de soulagement. C'était peut-être un courant d'air.

La porte se ferma lentement. Catty écarquilla les yeux.

Un nuage se forma devant elle, puis s'épaissit. Vanessa apparut.

– Vanessa ? Qu'est-ce que tu fais là ? demanda Catty, stupéfaite.

Vanessa se pencha vers elle et murmura :

– On te surveillait.

– Qui ça, on ?

– Séréna a lu dans ton esprit hier soir, quand tu as quitté la fête, expliqua Vanessa. Elle savait que tu avais décidé de récupérer le manuscrit en douce, chez Maggie. On a décidé de t'en dissuader. Je t'ai appelée ce matin, mais tu étais sans doute déjà partie.

Catty se rappela du coup de téléphone matinal.

– Et toi, pourquoi tu es entrée chez Maggie ? Tu ne sais pas à quel point c'est risqué ?

– En arrivant, on a vu Maggie et les Régulateurs, répondit Vanessa d'un ton anxieux. On s'est dit que tu risquais d'avoir de gros problèmes.

Catty regarda son amie avec gratitude :

– Il faut partir, alors. Tu peux me rendre invisible ?

– Je ferai de mon mieux.

Catty se dirigea vers la table et récupéra le manuscrit.

– Il faut que tu le rendes invisible, lui aussi. Je n'ai aucune envie de le laisser ici, pour que Maggie le donne aux Régulateurs.

– Je n'arrive pas à croire qu'elle nous ait trahies, dit Vanessa tristement. Enfin, au moins, on sait.

Vanessa enlaça son amie. Presque immédiatement, le changement moléculaire commença. Catty sentit ses pieds, ses jambes et ses bras s'allonger, pareils à des nuages de sable épais. Ensuite, elle disparut entièrement. Vanessa la guidait comme une brise douce. Catty adorait ce mouvement léger, cette sensation de flotter et de tourbillonner dans les airs.

Elles s'arrêtèrent à la porte. Vanessa avait désormais appris à déplacer des objets. La porte s'ouvrit et elles se dirigèrent dans le couloir. Catty suivit Vanessa au plafond. Elles passèrent ainsi au-dessus de Maggie et des Régulateurs.

Catty entendit le pouls de Vanessa s'accélérer. Tout à coup, les Régulateurs se tendirent – comme s'ils le percevaient, eux aussi.

Catty sentit l'attraction de la gravité. Elle sut ce qui allait arriver. Vanessa s'était laissé à nouveau envahir par ses émotions. Ses molécules se recomposaient.

Catty jeta un œil inquiet en-dessous d'elle. Sa main était en train de réapparaître. Dans quelques secondes, elle deviendrait trop lourde, Vanessa la lâcherait et elle tomberait droit sur les Régulateurs.

Ses molécules se réorganisaient à toute allure. Si les Régulateurs levaient la tête, ils verraient une moitié de jeune fille flottant au-dessus d'eux dans une sorte de brouillard.

Vanessa l'attira vers elle… et elle se sentit tomber la tête la première. Elle ferma les yeux. Quand elle les rouvrit, elle se trouvait à nouveau dans la chambre.

– C'était quoi ? demanda un Régulateur.

– Comment ? fit Maggie d'une voix égale. Je n'ai rien entendu.

– Si, dans le fond. J'y vais.

Il y eut un grincement de chaise, puis un autre.

– Je vais voir, annonça Maggie. C'est un vieil immeuble, vous savez. On entend souvent des bruits.

Les pas de Maggie résonnèrent sur le sol.

– Fais quelque chose ! siffla Catty.

– J'essaye, gémit Vanessa.

– Allez, vite !

Catty regarda ses mains et ses bras : des nuages de poussière dorée. Elle voulut se concentrer elle aussi pour redevenir invisible, mais rien à faire sans le pouvoir de Vanessa.

Au moment où Maggie arrivait, Vanessa réussit à les pousser toutes les deux jusqu'au balcon de la chambre.

Maggie ouvrit la porte. Catty perdit tout espoir : elles étaient complètement visibles à présent, sans le moindre endroit où se cacher. Elles ne pouvaient même pas faire semblant d'avoir voulu lui faire une surprise : Catty tenait le manuscrit entre ses mains.

Chapitre 16

Soudain, Vanessa attrapa Catty et sauta par-dessus le balcon. Surprise, Catty voulut saisir la rambarde, mais n'attrapa que du lierre. Il céda. Au moment où elle allait hurler, ses molécules se fondirent dans l'air. Invisibles, Catty et Vanessa tombèrent mollement, avant d'atterrir en douceur dans la cour.

Vanessa lâcha son amie. Les molécules de Catty se solidifièrent de nouveau, parcourant son corps d'une douleur glaciale. Le manuscrit claqua furieusement entre ses mains, visible lui aussi.

– Désolée, fit Vanessa.

Catty leva les yeux vers le balcon :

– Ne refais plus jamais ça, dit-elle d'une voix rauque.

– Je n'avais pas le choix, dit Vanessa, l'air assez contente de son pouvoir. Tu voulais que Maggie te voie ?

– Et si tu ne nous avais pas rendues invisibles à temps ? demanda Catty. On se serait écrabouillées dans le patio.

– Oui... mais voilà, je nous ai rendues invisibles à temps, répliqua Vanessa avec un sourire suffisant – qui s'évanouit aussitôt : Qu'est-ce qu'on va faire pour Maggie ?

– Je ne sais pas.

– Il faut qu'on en parle à Jimena et Séréna.

Elles sortirent de l'immeuble. Jimena les attendait, assise sur le capot d'une voiture. Séréna faisait les cent pas à côté d'elle.

– Alors ? demanda Jimena.

– Les nouvelles ne sont pas bonnes.

Jimena et Séréna se rapprochèrent. Leurs amies leur racontèrent ce qui s'était passé chez Maggie.

– Qu'est-ce que les Régulateurs peuvent bien faire avec Maggie ? demanda Jimena. Elle allait vraiment leur donner le manuscrit, à votre avis ?

– Oui, répondit Vanessa.

– Allez, partons, coupa Catty, saisie d'un pressentiment terrible : si elles restaient, il arriverait malheur. On discutera de tout ça dans un endroit sûr.

Elle ferma les yeux et se concentra, mais ne décela aucune charge électrique dans les parages – pas pour l'instant, du moins.

Elles s'entassèrent dans la voiture de Jimena et partirent.

Vingt minutes plus tard, elles contemplaient le manuscrit dans la cuisine de Catty.

– Vous avez des suggestions ? demanda celle-ci.

– Non, firent en chœur Séréna et Vanessa.

– Je pense qu'on a besoin de se changer les idées un moment, dit Jimena. Si on allait au Planet Bang ? Ça nous permettra d'oublier un peu le manuscrit.

– Et Maggie ? demanda Vanessa.

– Tu sais, pour ce qu'on fait d'utile en ce moment… remarqua Séréna.

Catty fit courir son doigt sur le parchemin :

– Comment est-ce que je peux suivre la Voie du Manuscrit alors que je n'arrive même pas à le lire ?

– Peut-être que Maggie devait te le traduire, hasarda Jimena.

– Enfin, regarde ce qu'elle vient de faire ! dit Vanessa.

Catty étudia les lettres enchevêtrées :

– Il contient toutes les réponses. Tout ce qu'il nous reste à faire, c'est trouver quelqu'un d'autre pour le traduire.

– Pourquoi pas Kendra ? demanda Vanessa.

– Tu crois que c'est sans danger ? Et la malédiction ? demanda Catty, mal à l'aise.

– Tu n'y crois pas vraiment, à cette malédiction ? questionna Jimena.

– Ce n'est qu'une superstition, ajouta Séréna.

– Vous avez sans doute raison, soupira Catty. Je le donnerai à Kendra.

– Allez, on va se préparer pour le Planet Bang, lança Jimena sur un ton énergique, comme pour leur remonter le moral.

– Je ne sais pas... commença Vanessa. Toby va peut-être...

– Toby va peut-être quoi ? la taquina Séréna.

– Je ne sais pas, bredouilla Vanessa.

Catty observa son amie. Pourquoi ce sérieux soudain ? Avait-elle tellement peur de déplaire à Toby ?

Vanessa réfléchit un instant puis sourit :

– Vous avez raison. On y va !

Elles se mirent toutes à regarder Catty fixement.

– Quoi ?

– On peut piller le placard de Kendra ? demanda enfin Jimena.

Catty sourit. Kendra avait gardé tous ses vêtements de sa période hippie et disco. Les placards de la chambre d'amis en étaient pleins. Cela ne la dérangeait jamais que Catty et Vanessa lui empruntent ses affaires. Les habits leur allaient bien. Même si elle était grande, Kendra avait été très mince à l'adolescence, et les deux amies pouvaient mettre à peu près tout.

– Pourquoi pas ? dit Catty en riant.

Un peu plus tard, la séance d'habillage prit fin. Jimena portait un pantalon rouge criard, un chemisier en soie avec des motifs étoilés, et des bottines couvertes de chaînettes.

– Trop beau ! s'écria Séréna admirative.

Elle tourna sur elle-même pour montrer son haut court, qui lui laissait aussi les épaules nues. Elle s'était collé un faux cristal dans le nombril, puis avait enfilé un pantalon patte d'ef de Kendra. Elle l'avait trouvé trop long au départ, et avait corrigé ce défaut en mettant une paire de chaussures dorées à talons hauts, très années 70.

Catty, elle, portait un haut à dos ouvert, et un pantalon patte d'éléphant avec de la dentelle. Elle leur tendit des tatouages adhésifs, deux dragons et un flocon géant.

– Kendra va en vendre à la boutique. Quelqu'un veut essayer ?

Jimena et Séréna se rapprochèrent pour mieux voir. Vanessa fit alors son entrée. Elle portait une chemise déboutonnée à fines rayures sur un soutien-gorge de cuir noir. La minijupe de Kendra, trop grande, flottait un peu sur ses hanches. Sa peau ressemblait à du bronze doré, et elle arborait un flocon tatoué sur le ventre.

Séréna siffla.

– Eh bien, tu vas tous les mettre par terre, commenta Jimena, amusée.

– Ça vous plaît ? demanda Vanessa, qui enleva aussitôt sa chemise : Il fait trop chaud.

– Allez, on y va fit Jimena en sortant de la pièce.

Sous les stroboscopes, la piste de danse du Planet Bang étincelait de lasers bleutés. Le club était déjà plein. Le DJ monta le volume. Un rythme puissant envahit la pièce, vibrant dans les brumes des fumigènes.

Catty sentit une main se poser sur son épaule. Elle se retourna vivement. Chris se tenait derrière elle. Il lui sourit. Le contact de sa main sur son dos nu lui procura un agréable frisson.

– Viens danser, murmura-t-il.

– D'accord.

Il lui prit la main, mais au lieu de l'emmener sur la piste, il l'attira dans l'ombre.

– Pourquoi tu veux danser ici ?

– Je ne veux te partager avec personne.

Elle lui sourit et le suivit tout au fond du club. Il l'enlaça et se mit à danser langoureusement, serré contre elle, ses yeux posés sur ses lèvres. Catty les entrouvrit et attendit son baiser.

– Tu es si belle, chuchota-t-il en plongeant son regard dans le sien. J'aimerais qu'on ne se quitte jamais.

Ses mains coururent sur son dos et se posèrent sur ses épaules ; il se pencha vers elle et l'embrassa.

– Je tiens beaucoup à toi, Catty. Accorde-moi toujours ta confiance, même s'il m'arrive de me comporter bizarrement. Cela n'a rien à voir avec mes sentiments pour toi. C'est ça, l'important. C'est juste que j'ai des tas de soucis en ce moment, et je ne peux pas en parler.

Elle le contempla, et se sentit coupable, tout à coup. Tant de jeunes vivaient des épreuves autour d'elle. Elle se demanda si ses parents divorçaient, ou s'ils avaient des soucis financiers.

– Si tu veux parler, je suis à ta disposition, dit-elle, n'importe quand. Appelle-moi, ou viens me trouver.

– Merci, répondit-il en l'enlaçant de nouveau.

Elle ferma les yeux et se laissa emporter. Elle n'avait jamais imaginé éprouver un tel bonheur en dansant avec un garçon. Les lèvres de Chris caressaient son visage, cherchant les siennes. Son baiser la transporta encore plus qu'avant, et le contact de ses mains sur son dos lui donna le vertige.

Ils restèrent là, immobiles dans les ombres. Catty aurait voulu prolonger leur étreinte, mais il s'écarta.

– Promets-moi que tu auras confiance en moi, chuchota-t-il. Promets… quoi qu'il arrive.

– Promis, dit-elle.

Comment dire non ? Pourtant, à sa manière de lui poser cette question, Catty comprit qu'il était arrivé un malheur, à Chris ou à sa famille. Soudain, elle réalisa avec stupéfaction qu'il n'avait jamais parlé de ses parents, ni de ses frères et sœurs.

– Et si on allait ailleurs pour discuter ? proposa-t-elle.

– Non, soupira-t-il tristement – puis il se pencha vers elle pour l'embrasser à nouveau.

À ce moment, ils entendirent du bruit derrière eux.

Michael dansait avec Vanessa, et Toby lui cherchait querelle.

– Qu'est-ce qu'il fait ? demanda Catty.

Elle fonça vers eux. Chris la retint et lui montra Toby :

– C'est qui, le type avec Michael ? Il n'est pas dans notre lycée. C'est qui ?

– Tu as raison, répondit Catty en se demandant pourquoi Chris s'y intéressait. Il s'appelle Toby. Il est au lycée de Fairfax, je crois, mais je ne suis pas sûre. Vanessa l'a rencontré à son cours de danse.

Elle crut que Chris allait la lâcher, mais non. Au contraire, il lui serra le bras encore plus fort en fixant Toby, comme s'il percevait un danger.

– Je dois aller aider Vanessa, dit Catty en se libérant. Allez viens, ce Toby craint à mort.

Elle courut vers la piste, croyant que Chris allait la suivre. Elle se fraya un passage dans le groupe de jeunes qui entouraient Toby, Michael et Vanessa. Elle se retourna : Chris avait disparu. Elle ne le vit nulle part. Où était-il parti ? Pas le temps de le chercher.

Toby dévisageait Michael d'un air furieux.

– Toby ? (Vanessa lui saisit le bras au moment où il allait se précipiter sur Michael.) Arrête ! Tu veux qu'on se fasse sortir ?

Toby se mit à rire, d'un rire qui fit frissonner Catty.

Tout à coup, il fonça en avant et décocha un coup de poing à Michael. Michael esquiva, et Toby faillit perdre l'équilibre.

Sa maladresse déclencha des rires. Toby avait l'air fou de rage.

Michael leva les mains en signe d'apaisement :

– Vanessa et moi, on est juste copains, d'accord ? Je lui ai demandé de m'accorder une danse, c'est tout.

Toby répliqua en décochant une bourrade à Michael. Michael fit deux pas en arrière avec un sourire ironique. Catty voyait bien qu'il commençait à s'énerver, et ça, c'était dangereux.

– Désolé, dit Michael d'un ton sarcastique. Je ne savais pas que tu avais si peu confiance en toi et Vanessa. Je croyais qu'entre vous, c'était du sérieux.

Toby voulut attaquer à nouveau, mais Jimena intervint tout à coup et lui saisit le poignet. Toby pivota, prêt à frapper. Jimena ne broncha pas, et lui lança son sourire bien particulier.

– Arrête de te ridiculiser, lui murmura-t-elle d'une voix câline. Il a dansé avec elle, c'est tout. Tu veux te faire une réputation de mec faible ?

Toby jeta un regard en coin à Michael.

Jimena se rapprocha de Toby, lui posant la main sur la hanche :

– Hé, si tu es sûr de ta copine, si elle est vraiment à toi, alors aucun *vato* ne va te voler son amour en dansant avec elle. *No seas un payaso...*

Apparemment, Toby avait compris tout ce qu'elle lui avait dit. Il regarda Jimena d'un air pensif, puis Vanessa. Soudain, il lui prit la main, sourit, et l'attira contre lui. Ils se remirent à danser comme si de rien n'était.

Catty les contempla, abasourdie.

– Elle voit pas que c'est un nul ?

– L'amour est aveugle, commenta tristement Michael.

Séréna, qui avait suivi Jimena, lui demanda :

– Et toi, ça va, Michael ?

– Oui, ça va. Si j'avais su que Toby allait péter un plomb, je n'aurais jamais demandé à Vanessa de danser avec moi.

– Pourquoi il s'est énervé à ce point ? demanda Jimena.

– Parce que Vanessa aime encore Michael, et qu'il le sait, expliqua Catty.

– En tout cas, dit Michael d'un air blessé, on ne le dirait pas, à voir son comportement.

– Moi, je sais que si, l'assura Catty.

Le DJ passa un nouveau morceau. Michael invita Séréna à danser. Une étincelle jaillit entre eux.

– Allez, on y va, lança Michael, après un instant de surprise.

Jimena les suivit. Catty les observa un moment, puis scruta la piste à la recherche de Chris. Elle ne le vit nulle part ; pourtant, elle ne voulait pas rester seule. Elle sortit, dans l'espoir de le trouver devant la boîte. Une longue queue s'étirait à l'entrée.

Une brise légère agitait les palmiers. Catty goûta la fraîcheur de l'air nocturne sur son visage. Elle repensa à Chris, en se demandant ce qui lui était arrivé. Si seulement elle pouvait en parler avec lui. Les problèmes sont plus faciles à résoudre quand on les partage.

De l'autre côté de la rue, les arbres bloquaient la lumière, projetant des ombres épaisses. Catty entendit un bruit derrière elle. Un bruit de pas.

Elle se tendit, les sens aux aguets. La rue était déserte. Quelqu'un qui sortait sa poubelle ou réparait l'arrosage de son jardin, sans doute. Catty se remit en route, mais la même sensation étrange l'envahit. On la suivait.

Elle ralentit, en se demandant si ce pouvait être l'inconnu au manuscrit.

– Ohé, lança-t-elle en se retournant lentement.

Silence. Elle attendit un instant, dans l'espoir que l'inconnu s'avance. Elle voulait voir son visage, lui parler du manuscrit.

– Je sais que vous êtes là, dit-elle à voix basse. Je sens votre présence.

Silence.

Déçue, Catty rentra chez elle, ses talons claquant sur le trottoir.

Une fois à la maison, elle se dirigea vers la baie vitrée du salon et jeta un œil au-dehors, à la recherche d'un éventuel suiveur. Personne. Elle se dirigea vers la cuisine, traversant les pièces sombres. Au moment où elle allait allumer, elle sentit une présence toute proche.

Chapitre 17

Assise à la table de la cuisine, Kendra déchiffrait le manuscrit. Elle regarda Catty avec les yeux écarquillés des insomniaques. Ses cheveux humides étaient collés sur son crâne, comme si elle souffrait d'une forte fièvre. Des gouttelettes de sueur luisaient sur sa lèvre supérieure.

Le manuscrit tremblait dans ses mains. Kendra ne les contrôlait plus.

– Toi ! chuchota-t-elle.

– Ça ne va pas ? demanda Catty en s'approchant.

Kendra avait l'air vraiment malade. Elle se leva brusquement, projetant sa chaise au sol, puis recula vers le fond de la cuisine, sans quitter Catty du regard.

– Kendra, qu'est-ce qui ne va pas ?

Catty s'avança vers elle, puis s'arrêta net : c'était d'elle que Kendra avait peur.

– J'ai fini de le traduire, annonça Kendra. Maintenant, je connais la vérité.

– Quelle vérité ?

Kendra leva le manuscrit :

– *Demere personam tuam atque ad dominum tuum se referre !* déclama-t-elle.

Catty la regarda, incrédule. Elle savait que Kendra parlait en latin. Elle répéta les mots, essayant de leur trouver un sens.

– Déméré personam touam atk-oué ad dominoum tououm sé référé.

Kendra répéta ces mots d'une voix rauque, comme une formule magique :

– *Demere personam tuam atque ad dominum tuum se referre !*

Catty ne comprenait plus rien :

– Ôter mon masque ? Retourner à mon maître ? Qu'est-ce que ça veut dire ?

Kendra s'affala contre le mur. Des larmes roulèrent sur ses joues.

– Qui es-tu ? demanda-t-elle à voix basse.

– Je ne comprends pas, répondit Catty.

– Qu'es-tu ? s'écria Kendra.

Elle lança, d'une voix tremblante :

– Toutes ces années, j'ai cru protéger un extraterrestre contre le gouvernement. (Elle eut un petit rire sec et désabusé :) Et maintenant, je découvre que j'ai couvé une créature maléfique.

– Qu'est-ce que tu as lu ? lui demanda Catty, effrayée.

Kendra posa un doigt sur le manuscrit et lut :

– « L'enfant d'une déesse déchue et d'un esprit mauvais prendra possession du Parchemin secret, sans craindre sa malédiction. »

– Tu penses que c'est moi ? l'interrogea Catty, anxieuse.

Était-elle vraiment l'enfant d'une déesse déchue et d'un esprit mauvais ? Elle prit enfin une décision :

– Je ne suis pas une créature maléfique… je suis une déesse, avoua-t-elle enfin. Je ne l'ai su que cette année. Quand je l'ai découvert, j'ai voulu t'en parler.

Sa voix se brisa. Kendra prit une chaise et alla s'asseoir en face d'elle.

– Dis-moi tout.

Elle tremblait toujours, mais de fièvre cette fois, non de peur.

Catty se dit que le manuscrit était bel et bien maudit, et qu'il lui faudrait découvrir comment lever la malédiction dont souffrait Kendra.

Elle expliqua lentement, répétant ce que Maggie lui avait appris :

– Jadis, quand la boîte de Pandore fut ouverte…

– Pandore ? la coupa Kendra. Tu parles bien du mythe ?

– Ce n'est pas un mythe, reprit fermement Catty. La dernière chose à sortir de la boîte fut l'espoir. Seule Sélène, la déesse de la lune, vit la créature dépêchée par l'Atrox pour dévorer l'espoir. Prenant l'humanité en pitié, Séléné leur envoya ses Filles, comme des anges gardiens, pour perpétuer l'espoir. Je suis l'une d'elles. Je suis une déesse.

– Et l'Atrox ? demanda Kendra.

– L'Atrox et ses Suiveurs ont juré de détruire les Filles de la Lune : une fois que nous serons vaincues, l'Atrox triomphera. Moi, je suis une source de bien.

Tremblante, Kendra parcourut le manuscrit et finit par trouver ce qu'elle cherchait :

– Une créature sans âme qui a défié Dieu et s'est donné la vie. L'Atrox », lut-elle, hagarde.

Soudain, la pièce parut envahie par des forces hostiles, comme si Kendra les avait invoquées en prononçant leur nom. La température baissa brutalement. Catty frissonna.

– Et ton don ? demanda Kendra au prix d'un effort douloureux.

– Ce n'est pas la téléportation, mais une sorte de voyage dans le temps. Je m'en sers pour lutter contre l'Atrox, expliqua Catty.

– Une entité antérieure à la création, murmura Kendra pour elle-même. Et là – dit-elle en désignant un passage du manuscrit – il est dit comment la détruire et… tu es celle qui a été choisie pour la détruire.

– Oui, dit Catty en baissant la tête.

– Que puis-je faire pour t'aider ? demanda Kendra avec admiration.

– Il faut que je voie ma mère, expliqua Catty. Il faut que je revienne dans le temps avant sa mort et que je lui parle, pour découvrir l'identité de mon père, et pourquoi on m'a donné le manuscrit.

Catty espérait aussi que sa mère lui apprendrait comment débarrasser Kendra de la malédiction.

Kendra se leva, les jambes flageolantes, posa le parchemin sur sa chaise, puis se dirigea vers le téléphone. Elle farfouilla un moment dans un bloc-notes et en sortit un bout de papier. Elle se tourna vers Catty :

– C'est la malédiction du manuscrit, n'est-ce pas ? C'est à cause d'elle que je suis si malade.

– Non, mentit Catty. C'est la grippe, j'en suis sûre. De toutes façons, tu ne crois pas aux malédictions, non ? ajouta-t-elle avec un rire qui sonna faux.

– J'y crois maintenant, dit Kendra en la gratifiant d'un faible sourire. (Elle lui tendit le bout de papier :) Voilà l'adresse qu'on m'a donnée à la morgue.

Elle tituba et dut s'appuyer au comptoir de la cuisine.

Pourvu qu'il ne soit pas trop tard, pensa Catty.

– Tu veux que je t'emmène chez le docteur avant de partir ? demanda-t-elle à Kendra.

– Non, je ne pense pas que la médecine moderne puisse guérir ma maladie. (Elle caressa la joue de Catty :) Je me repose sur toi, Catty... Quand je pense que pendant tout ce temps, je t'ai prise pour un extraterrestre.

– Pas de regrets ? demanda Catty.

– Bien sûr que si, répondit Kendra avec un rire qui s'acheva en toux. J'avais toujours espéré que tu m'emmènerais sur une autre planète, pour que je puisse voir l'univers.

Elle embrassa Catty. Sa peau était sèche et brûlante.

Catty vit encore Kendra lui faire au revoir, puis la cuisine disparut dans une lueur aveuglante et Catty s'enfonça dans le tunnel, plus rapide que la lumière.

Chapitre 18

Catty reconnut la rue aux magnolias et se rendit compte que sa mère et elle avaient quasiment été voisines, pendant toutes ces années. Une grande tristesse l'envahit, mêlée de nostalgie. Elle s'arrêta devant une petite maison au toit en pente, avec une allée de briques bordée de roses parfumées et multicolores. Sur la terrasse, elle vit un râteau avec un sac en papier rempli de feuilles, et des gants de jardinage. Catty hésita un instant puis sonna.

La porte s'ouvrit soudainement et une main l'attira à l'intérieur.

Catty voulut parler, mais des doigts tièdes se posèrent sur ses lèvres pour lui imposer silence. Ce contact la surprit.

– Maman ? chuchota-t-elle.

– Oui, répondit Zoe en éteignant les lumières dans l'entrée. (Elle fit signe à Catty de passer au salon.) Ne bouge pas, lui ordonna-t-elle à voix basse.

Elle se dirigea vers la baie vitrée, écarta le voilage et scruta la rue un long moment, puis, rassérénée, alluma une petite lampe et s'assit sur un canapé. Elle sourit à Catty. Un joli sourire.

– Désolée pour ces mines de conspirateur, expliqua-t-elle. Il y a des Régulateurs qui me surveillent depuis la maison du coin. Ils croient sans doute que je ne les ai pas reconnus. Je voulais m'assurer qu'ils ne t'avaient pas vue. C'est très négligent de leur part de ne pas t'avoir repérée dans la rue.

– Je ne suis pas venue par *là*, répondit Catty.

– Non ?... Mais oui, bien sûr. Tu possèdes tes propres pouvoirs.

Catty s'assit à côté de sa mère. Elle aperçut le contrôle de géométrie dont elle s'était servie pour donner son adresse à Zoe, ce jour-là dans le désert.

Zoe comprit et prit le papier sur le guéridon :

– Je le garde toujours avec moi, expliqua-t-elle. C'est la seule chose à toi que je possède. D'ailleurs, je ne peux pas prendre le risque que les Régulateurs tombent dessus.

– Est-ce qu'ils ne savent pas déjà où j'habite, puisque je suis une Fille de la Lune ? demanda Catty.

– C'est possible, répondit Zoe, mais ils ignorent certainement que tu es ma fille. Sinon, tu ne serais pas ici.

Catty sentit un frisson glacé lui parcourir l'échine.

– Pour l'instant, ils peuvent croire que c'est Séréna, ou Jimena, ou encore ne rien savoir du tout. Ils sont extrêmement puissants et maléfiques, mais ils consacrent une telle énergie à leur déguisement que parfois, ils sont un peu lents.

Catty ne voulait même pas imaginer à quoi ressemblerait un Régulateur sans son déguisement. Une idée lui vint soudain :

– Comment tu sais, pour Jimena et Séréna ?

– Je sais presque tout sur ta vie.

– Vraiment ?

– Tout ce que j'ai pu apprendre, dit Zoe avec un sourire. (Elle reprit son sérieux :) J'imagine qu'il a dû arriver un événement important, pour que tu m'aies trouvée. Qui t'a dit où je vivais ?

Catty voulut lui expliquer, mais se mordit la lèvre : comment dire à Zoe qu'elle avait obtenu son adresse à la morgue ?

– Alors, tu ne peux pas me le dire, fit Zoe. Ou alors, tu ne veux pas, parce qu'il vaut mieux que je ne le sache pas. Au moins, tu peux me dire pourquoi tu es venue me voir.

– J'ai reçu le Parchemin secret, fit Catty d'une voix défaillante. J'espérais que tu pourrais m'expliquer pourquoi tout cela m'arrivait à moi. Pourquoi est-ce qu'on m'a donné le parchemin ? Je ne peux même pas le lire.

– Je voulais t'en parler depuis longtemps. J'aurais dû, mais j'avais trop honte.

– Honte de quoi ? demanda Catty, étonnée.

– J'ai été une Fille de la Lune, comme toi. J'avais un pouvoir spécial, moi aussi. Je pouvais déplacer les objets par la force de mon esprit, raconta Zoe d'une voix pleine de regrets. Malheureusement, le changement qui m'attendait m'a fait trop peur.

Catty comprenait. Elle non plus n'aimait guère penser à ce changement. Les pouvoirs des Filles de la Lune ne duraient que jusqu'à leur dix-septième anniversaire. Ensuite, elles subissaient une métamorphose. Elles perdaient leurs pouvoirs et le souvenir de ce qu'elles avaient été – ou sinon, elles disparaissaient. Nul ne savait ce qu'il advenait des Filles de la Lune qui s'en allaient ainsi, pas même Maggie.

Zoe continua :

– Alors, je me suis tournée vers l'Atrox.

Zoe sortit son amulette lunaire de sous son chemisier et la tendit à Catty. Elle était terne et noircie, comme avant.

– L'Atrox m'a promis de m'accorder l'immortalité, mais il m'a trompée. J'avais oublié de lui demander la jeunesse perpétuelle, et me voilà à présent condamnée à vieillir pour l'éternité. Pour l'instant, ce n'est pas un problème mais cela le deviendra… Peux-tu imaginer cela, continuer à vieillir jusqu'à la fin des temps ?

Catty l'écoutait, abasourdie.

– Je me suis livrée à l'Atrox parce que j'avais peur, et il a dû le sentir, reprit Zoe. Ce jour-là, dans le désert, j'en voulais encore à Maggie pour ce qui était arrivé. J'ai cru pendant longtemps que si elle m'avait parlé davantage de cette métamorphose, je n'aurais pas eu peur et je ne me serais pas tournée vers l'Atrox. À présent, je sais que c'est mon propre manque de courage qui m'a fait agir ainsi. Si seulement j'avais écouté Maggie. Enfin, peut-être qu'il y avait un but à tout cela.

Elle fixa Catty, qui comprit qu'elle n'allait pas aimer la suite.

– Tu ne serais jamais venue au monde si je n'étais pas devenue un Suiveur, murmura Zoe.

– Je ne comprends pas, balbutia Catty.

– Je suis tombée amoureuse d'un Suiveur, soupira Zoe. Un membre du Cercle intérieur.

Catty sentit un poids immense tomber sur ses épaules.

– Mais... les membres du Cercle intérieur sont connus pour leur nature maléfique. Ils sont incapables d'amour, ajouta-t-elle, faiblement.

– C'est vrai, reconnut Zoe, mais ils sont aussi très séduisants, fascinants.

– Qui ? demanda Catty.

Voulait-elle vraiment connaître la réponse ? Zoe hésita :

– Tu ne connaîtras le nom de ton père qu'en cas de nécessité absolue.

Catty sentit des larmes brûlantes couler sur ses joues.

Zoe reprit :

– Je craignais que tu sois l'héritière du Parchemin secret, à cause de la prophétie.

– Quelle prophétie ? demanda Catty d'une voix tremblante qui lui fit horreur.

– *Seul l'enfant d'une déesse déchue et d'un esprit mauvais héritera du parchemin*, récita Zoe.

Catty sentit une immense tristesse l'envahir. Sa mère appartenait à l'Atrox, et son père était une créature maléfique, membre du Cercle intérieur. Elle se sentit soudain condamnée. Comment vaincre une telle hérédité ?

Zoe la prit par la main :

– Ne pense jamais que tu es mauvaise à cause de ton héritage. Le parchemin n'est confié qu'à une personne au cœur pur, assez forte pour lutter contre l'Atrox.

Catty resta un instant silencieuse, envahie par un tourbillon d'émotions. Enfin, elle eut le courage de lui poser la question qui l'avait torturée pendant toutes ces années.

– Pourquoi m'as-tu laissée au bord de la route ?

Zoe réfléchit longuement, puis répondit, les yeux emplis de larmes :

– C'était le seul moyen que je voyais pour te sauver. Quand j'ai entendu parler de la légende du Parchemin secret, je me suis dit que tu en étais l'héritière. Je n'en étais pas absolument sûre, mais j'ai vécu dans la terreur. Je craignais que, si tu recevais le manuscrit, l'Atrox vous détruise tous les deux. Il fallait que je trouve une solution. J'aurais préféré ne jamais te revoir et savoir que tu étais en sûreté, plutôt que de te laisser entre les griffes de l'Atrox. Alors, je t'ai abandonnée. J'ai provoqué un accident et mis la feu à la voiture : j'ai raconté que j'avais perdu connaissance, et que tu étais sans doute partie de ton côté.

– M'abandonner dans le désert ! dit Catty d'un ton de reproche. J'aurais pu aussi bien mourir.

– N'importe qui se serait arrêté, en voyant un enfant se promener tout seul sur le bas-côté d'une route dans le désert, répondit Zoe… d'ailleurs, tu sais que j'ai veillé sur toi en attendant qu'un automobiliste s'arrête.

– Pourquoi est-ce que les Régulateurs ne m'ont pas retrouvée ? Ils auraient pu me chercher dans mes rêves.

Catty s'arrêta. Elle venait de se rappeler la conversation entre Stanton et Zoe dans le désert. Zoe avait supplié Stanton de lui enlever ses souvenirs, pour qu'elle soit en sécurité.

– Exactement, dit Zoe comme si elle lisait dans ses pensées. Sans tes souvenirs, les Régulateurs auront du mal à te repérer.

– Mais tu ne savais pas que Stanton viendrait.

– Non, je l'ignorais. Jusqu'à son apparition, mon plan comportait des risques, je l'avoue, mais j'espérais que si un inconnu t'adoptait, tu ne courrais plus de danger. Je n'avais pas compté sur Stanton. Je n'ai pas ses pouvoirs. Je savais qu'avec lui, mon idée marcherait. Sans tes souvenirs, les Régulateurs ne pourraient plus te retrouver.

Catty comprit soudain que Stanton l'avait sauvée. Difficile à accepter.

– Pourquoi Stanton m'aurait-il aidée ?

– Tu n'as aucune idée de la valeur du parchemin, ni du nombre de gens qui le convoitent, répondit Zoe. Stanton espérait sans doute que s'il te ramenait dans le temps pour me voir, je te convaincrais de lui donner le manuscrit.

– Mais tu ne l'as pas fait.

– Non.

– Je vais trouver un moyen de lever la malédiction que l'Atrox t'a jetée, promit Catty.

– C'est trop tard, soupira Zoe.

– Laisse-moi essayer. Je suis sûre que je peux t'aider.

– Je rêve de la déesse Sélène, avoua Zoe. Elle vient me voir dans mes rêves pour m'offrir une seconde chance, parce que j'ai consenti à de grands sacrifices pour te protéger.

– Tu vas accepter son offre ? demanda Catty, aussitôt rassurée.

– Oui.

– Alors pourquoi… ?

– Quand j'aurai accepté son offre, je laisserai ce corps derrière moi pour devenir un être différent. J'attendais seulement de te revoir avant de partir.

Catty regarda sa mère, saisie d'une angoisse terrible :

– Pourquoi est-ce que tu n'as jamais essayé de me voir ? Tu habites à deux pas. Ça me fait mal de penser que tu vivais à côté et que tu ne m'as même pas appelée.

– Si, je t'ai vue, dit Zoe. Une fois en sûreté, quand j'ai su que les Régulateurs ne te suivaient pas, je t'ai observée. Parfois, je m'enhardissais à entrer dans ta chambre la nuit en m'asseyant près de ton lit. Je te parlais dans ton sommeil.

Catty se demanda si c'était elle, la présence qu'elle avait parfois sentie.

– Je continuerai à te rendre visite après, j'en suis sûre, sourit Zoe. En revanche, toi, tu ne pourras pas me voir. Quand j'étais jeune, j'éprouvais une peur terrible de cette transformation, mais à présent, je la désire ardemment. Je pense que nous devenons des anges gardiens : je veillerai toujours sur toi.

Zoe se leva tout à coup.

– Je suis prête. (Elle tendit la main à sa fille :) Reste avec moi jusqu'à l'arrivée de Sélène.

Catty obéit et suivit Zoe jusqu'à un jardinet intérieur. Elle aperçut un petit miroir orné posé sur une commode. Elle voulut conserver un objet ayant appartenu à sa mère et le glissa dans sa poche.

Elles s'assirent dans le jardin. Peu après, la lueur de la lune se fit plus vive, baignant la pelouse d'une blancheur féerique. L'astre darda un rayon éblouissant. Zoe leva les mains, comme si elle accueillait une créature issue du rayon glacial. La lumière tourbillonna autour d'elle, éparpillant des poussières d'étoiles.

L'obscurité retomba dans le jardin. Il ne restait que le corps de Zoe.

Chapitre 19

Catty revint dans le présent. Elle sortit du tunnel et atterrit sans douceur dans la bordure de géraniums, du côté de la maison. Elle bondit sur ses pieds et se dirigea vers l'arrière-cour. Tout ce qu'elle voulait, c'était se mettre au lit et dormir. Elle se sentait épuisée.

Une main se posa doucement sur son épaule.

– Catty, dit l'inconnu au parchemin.

– Quoi encore ? lança-t-elle, sans chercher à dissimuler son agacement.

– Pourquoi ce retard ?

– Le parchemin a lancé sa malédiction, lui rappela-t-elle.

– Chaque seconde augmente les chances que l'Atrox le découvre.

– Ce n'est pas si simple que tu le dis, rétorqua Catty, irritée.

Discrètement, elle sortit de sa poche le miroir de sa mère.

– Tu es l'héritière. C'est ta destinée, insista l'inconnu, tout aussi courroucé.

– On ne peut pas dire que j'y mette de la mauvaise volonté, répondit Catty en levant le petit miroir. Je dois fuir les Régulateurs, et ma mère naturelle vient de mourir.

Tout à coup, elle leva le miroir et vit le reflet de l'inconnu derrière elle. Poussant un cri, elle se retourna.

– Chris ?

Son cœur battait si rapidement qu'elle crut s'évanouir. Elle remit le miroir dans sa poche. Qu'est-ce que cela voulait dire ? Comment Chris pouvait-il être l'inconnu au parchemin ?

Elle se mit à rire. Elle se sentait épuisée, à bout de nerfs. Impossible. Elle avait sans doute mal vu, ou elle s'était endormie dans les géraniums et il venait de la réveiller.

Pourtant, quand Chris reprit la parole, elle sut que ce n'était pas un rêve.

– Je suis heureux de cesser cette comédie.

Agréable à l'oreille, sa vraie voix n'était ni celle de Chris, ni celle de l'inconnu ganté, mais une sorte d'intermédiaire.

– Ça n'a vraiment pas été facile.

Catty secoua la tête, abasourdie. Chris ?

– Tu m'as donné le Parchemin secret ?

– Oui.

– Mais pourquoi tous ces mystères ? demanda-t-elle avec une exaspération croissante.

– Je devais dissimuler mon identité, expliqua Chris, pour accomplir la tâche que l'on m'avait confiée.

– Quelle tâche ?

– Protéger le parchemin. Le Gardien doit toujours cacher son vrai visage.

– Le Gardien ?

– Celui qui protège le manuscrit, jusqu'au jour où il le remet à l'héritier, dit Chris.

– Tu as bien joué la comédie, remarqua Catty. Nous t'avons toutes cru, mes amies et moi.

Il lui caressa la joue :

– J'ai très mal vécu ces mensonges, Catty. Je tiens vraiment à toi. Grâce à toi, j'ai retrouvé des émotions que je n'avais pas ressenties depuis des années.

Catty sentit le monde s'écrouler autour d'elle.

– Qu'est-ce qu'il y a ? lui demanda-t-il, percevant sa détresse.

– Ce… ce n'est pas avec toi que j'irai au bal du lycée, c'est ça ?

– Exact.

– Pourquoi m'as-tu laissée m'intéresser à toi, alors ?

Avec rage, Catty se rendit compte que le désespoir perçait dans sa voix.

Chris lui posa la main sur l'épaule. Malgré la pénombre, elle vit une lueur de regret dans ses yeux.

– Je ne voulais pas que ça se passe ainsi. La première fois que je t'ai rencontrée, je ne savais absolument pas que tu étais l'héritière du parchemin.

– Et pourquoi ?

– Normalement, je sais qui va être l'héritier dès sa naissance, mais en te cachant aux Régulateurs, ta mère m'a aussi empêché de te retrouver.

– Pourtant, tu es bien venu à Los Angeles. Alors ?

– J'ai découvert que Maggie vivait à Los Angeles, j'ai donc supposé que les Filles de la Lune s'y trouvaient aussi. Quand je vous ai vues entrer toutes les quatre dans son appartement, j'ai su que l'une d'entre vous était l'héritière. Tu m'as vraiment plu. Tu me plais toujours, mais je ne pouvais pas prendre le risque que les Régulateurs nous voient ensemble. »

Saisie d'un doute, Catty s'écarta de Chris :

– C'est ta véritable apparence, ou est-ce que j'ai embrassé un vieux rabougri ?

Chris éclata de rire :

– Non, c'est bien moi.

Au moins, elle n'avait pas échangé des baisers avec un vieux chnoque. Catty poussa un soupir de soulagement.

– Qu'est-ce qu'il y a ? demanda Chris.

– Je vis un cauchemar, répondit-elle, et c'est de pire en pire.

– Je suis désolé. C'est de ma faute. J'aurais dû cesser de te voir pour la sécurité du manuscrit, mais je n'ai pas pu m'en empêcher. Je n'aurais jamais cru que je connaîtrais à nouveau l'amour.

Elle le dévisagea, ébahie. Il avait bien dit « amour » ? Un immense sourire niais apparut sur son visage.

– Peut-être nous retrouverons-nous un jour, murmura-t-il.

– Un jour ?

– Tu ne resteras pas ainsi éternellement, lui rappela-t-il. Si l'Atrox est vaincu…

Sans achever sa phrase, il se pencha vers elle et l'embrassa.

– Si l'Atrox est vaincu, qu'est-ce qui se passera ? lui demanda-t-elle, ses lèvres contre les siennes.

– Alors nous pourrons être ensemble.

Il s'écarta brusquement :

– Tu es trop jeune pour comprendre l'importance que j'y accorde.

– C'est sûr, je ne suis pas encore vieille de plusieurs siècles, répliqua-t-elle.

– Pas encore, sourit-il en l'enlaçant de nouveau.

Son corps semblait bien réel. Elle ouvrit les yeux, admirant sa peau pleine de jeunesse, ses yeux clairs et brillants.

– Tu as fini de vérifier ? demanda-t-il.

Elle ouvrit les yeux. Il l'embrassa. Elle entrouvrit les lèvres, offerte à ses baisers, oubliant tous ses soucis dans l'étreinte de ses bras. Tout finirait par s'arranger.

À contrecœur, Chris la lâcha enfin.

– Je ne peux pas rester avec toi, Catty. Les Régulateurs ne m'ont pas encore repéré, et ils ne savent pas exactement laquelle de vous est l'héritière. Il vaut mieux qu'on ne se revoie pas pour l'instant.

Il s'éloigna et disparut dans la rue.

Catty se sentit tout à coup optimiste, en meilleure forme que jamais. Prise d'une impulsion soudaine, elle décida d'aller parler de Chris à Vanessa. Tout irait bien, désormais. Elle en était persuadée.

Chapitre 20

Catty courut à l'intérieur pour voir comment se portait Kendra. Elle dormait, un tube d'aspirine sur la table de nuit.

– Ça va aller, Kendra, lui promit Catty. Je vais trouver un moyen de t'aider.

Elle l'embrassa sur le front. Sa peau était toujours sèche et brûlante. Catty prit une couverture supplémentaire et la posa sur elle. Ensuite, elle appela un taxi.

Vingt minutes plus tard, elle se trouvait devant la petite maison style XIXe siècle de Vanessa. Elle traversa le jardin, passant devant l'olivier tordu qui se dressait au milieu, et fit le tour par-derrière. Avant même d'ouvrir la porte, elle sentit l'odeur du pop-corn.

Elle entra.

– Vanessa ? C'est moi ! J'espère que t'es chez toi !

Vanessa surgit dans la cuisine. Normalement, son visage s'illuminait quand elle apercevait Catty, mais à cet instant, elle semblait plutôt triste. Les cheveux emmêlés, elle se frottait les yeux.

– Qu'est-ce qui ne va pas ? lui demanda Catty.

– J'ai dû m'endormir sur le canapé, dit Vanessa avec un faible sourire.

– Devine quoi ? demanda Catty en allant prendre un Coca dans le frigo.

Vanessa garda le silence.

– Hé, tu pourrais montrer un peu d'enthousiasme, glapit Catty. Il m'est arrivé le truc le plus incroyable de toute ma vie !

– Ah bon ? fit Vanessa, tout à coup intéressée.

– Chris ! Il ne voit pas d'autre fille.

– C'était évident, répondit Vanessa. C'est ça que tu voulais me dire ?

– Devine quoi d'autre ?

Vanessa lui lança un regard étonné :

– Vous n'avez tout de même pas…

– Bien sûr que non ! la coupa Catty. C'est beaucoup plus intéressant que ça !

Perplexe, Vanessa s'assit :

– Plus intéressant que *ça* ?

– L'inconnu du manuscrit… c'est lui !

Un éclair de panique passa dans les yeux de Vanessa. Elle se pencha vers Catty et chuchota, comme si elle craignait qu'on l'entende :

– Comment ça ?

– Celui qui m'a donné le manuscrit, c'était Chris.

Vanessa saisit son amie par la main, visiblement agitée d'émotions contradictoires.

– Mais qu'est-ce qu'il y a ? demanda Catty.

Toby entra dans la cuisine, les yeux flamboyants.

– Alors comme ça, tu écoutes toujours les conversations personnelles ? lui hurla Catty. Vanessa, tu aurais dû me dire qu'il était là.

Vanessa ne réagit même pas. Le regard vitreux, elle semblait presque inconsciente de la présence des autres.

Catty dévisagea Toby. Il lui décocha un sourire satisfait :

– Maintenant, je sais qui est le Gardien.

Effondrée, Catty comprit tout à coup.

– Un Régulateur.

Au moment où elle prononçait ce mot, la pièce sembla animée d'un courant électrique. Catty sentit le duvet se dresser sur ses bras et sa nuque. Elle comprit pourquoi Jimena et Séréna dégageaient des étincelles en présence de Toby.

– Mon déguisement t'a plu ? ricana Toby.

Ses yeux étaient à présent ceux d'un vieillard, voilés et chassieux. La peau de son visage s'affaissa en d'innombrables plis, prenant une couleur verte malsaine. Ses cheveux si bien coupés s'enchevêtrèrent en une masse informe. Le pire était son odeur, avec la moisissure bleuâtre qui lui recouvrait le corps et les vêtements.

Catty se leva d'un bond. Sa chaise grinça sur le sol de la cuisine avec un bruit horrible. Elle recula, effarée, portant les mains à son visage.

– Voilà… maintenant, vous voyez qui je suis vraiment.

Sa bouche se fendit d'un sourire effrayant, pareil à une blessure. Ses doigts s'allongèrent, ses ongles devinrent jaunes et cassants.

Toby s'accroupit près de Vanessa, la respiration sifflante, et déposa un baiser sur le haut de son crâne.

Comment Vanessa pouvait-elle le supporter ? Elle ne semblait même pas remarquer l'apparence de Toby ou son odeur putride.

Toby se redressa, posant ses griffes sur les épaules de Vanessa :

– Vanessa me voit comme je veux qu'elle me voie, lança-t-il d'une vilaine voix rauque. J'ai pénétré dans ses rêves toutes les nuits, et j'ai influencé toutes ses pensées. Je suis le prince charmant, pas vrai Vanessa ?

Saisie de nausée, Catty se demanda comment sauver son amie. Elle était trop secouée pour réfléchir clairement.

Toby s'éclaircit la gorge. Il ressemblait de nouveau à un lycéen.

– Je vais m'occuper de Chris, fit-il, sûr de lui. Tout ce qui te reste à faire, c'est détruire le manuscrit.

– Aucune chance, répliqua Catty.

– Vraiment ? demanda Toby. Très bien.

Il se tourna vers Vanessa :

– Tu veux partir avec moi, Vanessa ?

Vanessa se leva aussitôt et l'enlaça :

– Oui, répondit-elle sans hésiter, mais Catty crut lire le doute dans son regard, l'espace d'une seconde.

– Viens, alors.

Toby la prit par la main et se dirigea vers la porte.

– Attends ! cria Catty.

– Oui ?

– Je vais détruire le manuscrit, mais laisse Vanessa.

– Tu vas le détruire ?

– Oui.

Toby réfléchit un long moment :

– Rendez-vous demain soir au Griffith Park, avant le lever de la pleine lune. Apporte le manuscrit. Je te montrerai comment le détruire.

– Où ça, dans le parc ?

– Près du manège.

Il s'apprêta à partir avec Vanessa.

– Attends ! Vanessa reste avec moi.

Vanessa jeta un regard étrange à son amie :

– Qu'est-ce que tu fais, Catty ?

– Je veux que tu restes avec moi !

– Pourquoi ?

Catty lança à Toby :

– Je t'en prie… je donnerai le manuscrit tout de suite, mais laisse Vanessa.

– Ce n'est pas ce que je veux. Le manuscrit ne peut être détruit par des moyens ordinaires. Seul l'héritier peut le faire. Apporte-le au parc demain soir, et je te rendrai Vanessa.

Catty se tut, mais elle savait que Toby ne lui rendrait jamais Vanessa après avoir obtenu la destruction du parchemin. Les Régulateurs les anéantiraient toutes les deux, ou pire, les transformeraient en Suiveurs.

Avant même qu'elle s'en soit rendu compte, les mots jaillirent de sa bouche :

– O Mater Luna, Regina nocis, adjuvo me nunc.

Cette prière n'était dite qu'en cas de grand danger. Catty, impuissante, regarda partir son amie.

Chapitre 21

Catty rentra chez elle, s'assit sur le perron et contempla le ciel. Des tourbillons de fumée voilaient la lune. Les pompiers venaient de maîtriser les incendies sur les collines, mais un autre s'était déclaré un peu plus loin dans le chaparral.

Catty ne voyait aucun moyen de tromper Toby. Elle pensa appeler Séréna et Jimena, mais cela lui parut trop dangereux. Elle les mènerait à leur fin. Le manuscrit avait déjà fait assez de victimes.

Après tout, ce serait mieux de le détruire. Ainsi, elle pourrait au moins sauver Chris et Kendra. Pourquoi les Régulateurs s'en prendraient-ils à Chris s'il n'y avait plus de manuscrit à protéger ? De plus, cela libérerait sans doute Kendra de la malédiction.

Dans la nuit silencieuse, Catty eut l'impression d'entendre son nom. Elle tendit l'oreille. Kendra l'appelait-elle ?

Elle perçut des bruits de pas légers dans son dos. Elle se retourna, s'attendant à voir Kendra. C'était une femme qui s'approchait d'elle lentement. Une voisine, à la recherche d'un chat perdu ? Catty ne la reconnut pas. Elle n'avait pas envie de bavarder avec une inconnue.

– Je peux vous aider ? lui lança-t-elle.

– Vous… m'aider ? demanda la femme avec un sourire ironique, comme si cette idée l'amusait.

Elle s'assit à côté de Catty pour contempler la lune. Poussant un soupir, elle demanda à la jeune fille :

– Comment peux-tu perdre espoir au moment le plus important ?

De quoi parlait-elle ? Comme si elle lisait dans ses pensées, la femme reprit :

– Tu sais très bien de quoi je parle. Tu ne penses qu'à cela.

Catty l'observa à la dérobée. Elle éprouvait la sensation inexplicable qu'il ne s'agissait pas d'une simple voisine. Séréna et Jimena lui avaient toutes deux parlé des visites d'une déesse lunaire dans leurs moments de désespoir. Cette femme pouvait-elle être Sélène déguisée ? Catty ressentit une pointe d'agacement. Sa situation était vraiment désespérée.

– C'est la fin, dit-elle. Il n'y aucune échappatoire. Il ne me reste aucun choix.

La femme sourit de nouveau :

– On a toujours le choix.

– C'est ça, ricana Catty.

– Aucune situation n'est complètement désespérée, insista la femme. Seulement, tu ne vois pas toutes les possibilités.

– Au fait ! dit Catty.

– Si tu me parlais de ton problème…

– Je croyais que vous le connaissiez déjà, coupa Catty.

– Comme tu voudras.

La femme se leva. Catty lui expliqua alors :

– Je ne sais même pas si cela vaut la peine de protéger ce parchemin : il a déjà fait beaucoup de mal. Il a tourné Maggie contre moi, et sa malédiction est si puissante que même les Régulateurs craignent de le toucher.

– Maggie ne t'a jamais trahie.

– Ah bon ? Et comment le savez-vous ?

– Fais-moi confiance, sourit l'inconnue. Maggie croit en la malédiction. Elle pensait vous protéger.

– Alors, qu'est-ce que les Régulateurs faisaient chez elle ? demanda Catty. (Pourtant, par-dessus tout, elle voulait croire en Maggie.) Elle allait leur donner le manuscrit.

– C'est vrai, admit l'inconnue. Elle voulait que le manuscrit soit détruit. Maggie ignorait que seul l'héritier pouvait anéantir le parchemin. Se croyant alors en sûreté, l'Atrox se montrerait moins prudent. À ce moment-là, elle enverrait ses Filles de la Lune bien-aimées pour le combattre. »

Catty l'écoutait, le cœur battant.

– Maggie avait mémorisé la Voie du Manuscrit avant de le rendre aux Régulateurs, mais à ce moment-là... le manuscrit a mystérieusement disparu de chez elle.

– Je l'ai volé, avoua Catty.

– Bien sûr, dit sa mystérieuse interlocutrice en souriant.

– Ils... ils lui ont fait du mal ? demanda Catty, tremblante. Si une personne de plus avait souffert par sa faute, ce serait insupportable.

– Non. Après tout, elle allait leur donner le manuscrit. Ils l'ont considérée à tort comme une alliée.

Catty se sentit soulagée. Qu'aurait-elle fait si les Régulateurs avaient fait du mal à Maggie ? L'inconnue leva les yeux vers la lune. Elle commençait à décliner.

– Je dois partir. (Elle se leva et fixa Catty une dernière fois.) C'est bizarre...

– Qu'est-ce qui est bizarre ?

– Avant, tu ne suivais jamais les règles que l'on t'imposait, expliqua-t-elle. Et à présent que tu affrontes les créatures les plus sournoises de l'univers, tu veux les respecter ? Voilà ce qui est bizarre.

Catty regarda l'inconnue partir. Elle avait raison. Elle détestait les règles. Un sourire apparut lentement sur son visage.

– Merci, dit-elle enfin.

D'abord dormir, ensuite agir.

Chapitre 22

Le lendemain matin, Catty se réveilla au son des sirènes. Elle entendit le grondement sourd des camions de pompiers qui passaient à toute allure dans sa rue. Elle s'étonna d'avoir dormi si longtemps : le soleil entrait à pleins flots par la fenêtre. Elle vérifia que Kendra allait bien, s'habilla puis descendit à la cuisine. Elle décrocha du mur le manuscrit encadré. C'était le trésor de Kendra, et elle se sentit coupable de ce qu'elle allait faire, mais c'était nécessaire. Elle enleva précautionneusement le cadre. Ensuite, elle prit le parchemin dans la pile de notes que Kendra avait laissée sur la table. Elle s'installa à son bureau, après avoir pris ses couleurs et ses pinceaux.

Elle étudia les miniatures et ornementations du parchemin, puis se mit à les copier sur le vieux manuscrit de Kendra, en de riches teintes d'or, de rouge et de bleu.

Catty acheva sa tâche vers la fin de l'après-midi. Elle étudia son œuvre. Elle avait réussi à copier les animaux exotiques dissimulés dans le feuillage, sur les bordures, et même la miniature représentant une divinité refermant les mâchoires de l'enfer. Le résultat était certes approximatif, mais de loin, il abuserait sans doute Toby et les autres Régulateurs. De plus, ils avaient peur de s'approcher du manuscrit.

Satisfaite, elle ouvrit son placard et chercha le haut décolleté qu'elle voulait. Elle l'enfila, avec une chemise de soie noire par-dessus. Elle mit aussi ses bottes à talons aiguilles.

Enfin, elle dessina un trait d'eye-liner noir sur ses paupières, agrémenté d'un fard vert à paillettes, et s'enduisit les bras et la poitrine d'une lotion qui fit étinceler sa peau. Au moment de partir, elle se souvint des faux tatouages en forme de dragon. Peu après, un dragon sinueux apparut sur sa cuisse, entre le bas de sa jupe et le haut de ses bottes. L'ensemble lui plaisait bien. Elle se regarda dans le miroir en pied de la salle de bains.

– De la dynamite ! murmura-t-elle.

Son reflet la fascinait. On aurait dit une vamp de l'au-delà. Elle sentit le pouvoir féroce du dragon monter en elle, comme une invincible déesse guerrière.

Elle descendit l'escalier en silence, puis s'arrêta devant Kendra, allongée sur le canapé, respirant péniblement. Elle l'embrassa sur le front : le sceau de la victoire. Ce soir, elle libérerait Kendra de la malédiction.

On sonna à la porte.

Jimena et Séréna entrèrent, les yeux maquillés, des étoiles étincelantes sur les bras, les joues et la chevelure. Elles étaient devenues d'étranges créatures de la nuit.

– On savait que tu aurais besoin de nous, dit Jimena.

– Merci, répondit Catty.

– Jimena t'a vue dans une de ses prémonitions. Tu étais à côté d'un manège, avec Toby. Ça te dit quelque chose ? demanda Séréna.

– Oui. Toby m'a demandé de le retrouver au manège de Griffith Park. C'est un Régulateur. Il a Vanessa, et il ne la lâchera que si on détruit le parchemin.

Catty leur raconta ce qui s'était passé chez Vanessa.

Ni l'une ni l'autre ne parurent surprises.

– Tu crois que tous les Régulateurs seront là ? demanda Séréna.

– Non, juste Toby, répondit Catty. À mon avis, il n'a aucune envie de partager la gloire avec les autres.

Les trois amies sortirent de la maison. L'Oldsmobile '81 bleue et blanche du frère de Jimena les attendait. Cela réglait au moins un problème, celui du transport.

Catty leva les yeux vers l'immense panneau HOLLYWOOD. La fumée tourbillonnait tout autour dans le crépuscule. Encore un incendie. Un mauvais présage ? Catty eut envie de battre en retraite.

– *Vayamos !* lança Jimena en se glissant au volant.

– Allez, viens, dit Séréna à Catty.

Hésitante, saisie d'un mauvais pressentiment, Catty grimpa à l'arrière. Pourvu que je n'amène pas mes amies à la mort, pensa-t-elle.

Chapitre 23

La chaleur accentuait l'odeur de fumée âcre provenant des collines en feu, près de Griffith Park. En sortant de la voiture, Catty sentit ses yeux et sa gorge qui la brûlaient. Le ciel couvert reflétait les rayons dorés du soleil couchant.

– On est en avance, annonça Jimena. (Elle sauta sur le manège, flattant le cou d'un cheval de bois, passant la main sur les incrustations en verre d'une bride métallique, déambulant entre les rangées.) J'adorais ce manège, dit-elle.

– Moi aussi, ajouta Séréna en enfourchant un destrier noir.

Elle fit semblant de s'éloigner au galop, déclenchant les rires de ses amies. Elles s'arrêtèrent tout à coup. Le silence du parc devint écrasant. Catty frissonna.

Jimena s'accroupit à côté d'un cheval blanc.

– Qu'est-ce que c'est ?

L'air semblait chargé d'électricité, comme à la morgue, au moment où les Régulateurs avaient fait leur apparition.

C'est Toby, dit Catty.

Des petites lumières s'allumèrent subitement sur le manège. Tout à coup, les chevaux de bois parurent s'animer. Leurs yeux de verre étincelèrent d'une lueur jaune, leurs muscles luisants se tendirent, comme s'ils voulaient fuir ce qui arrivait.

– C'est lui qui a fait ça ?

– Qui a fait quoi ?

– Qui a allumé les lumières, chuchota Jimena.

– Je sais pas…

L'air se chargea encore plus d'électricité. Catty sentit un fourmillement sur sa peau.

Soudain, le manège grinça et gémit comme s'il luttait contre son inertie. Une cascade d'étincelles tomba du générateur.

– Dingue, chuchota Séréna.

– *Qué hay que hacer ?* demanda Jimena. On fait quoi ?

– On attend, répondit Catty.

Des mécanismes s'enclenchèrent, les chevaux se mirent à monter et à descendre. Séréna descendit de sa monture d'un bond.

Les trois amies regardèrent la plate-forme tourner, ébahies. L'orgue de barbarie se mit en marche. Il y eut un coup de trompette, accompagné de cymbales et de tambours. Les chevaux suivaient en cadence.

Après le premier tour, le manège s'accéléra, soulevant une brise qui soufflait sur les Filles de la Lune. Le manuscrit claquait entre les mains de Catty.

– Reculez-vous, ordonna Catty à ses amies. Il sait que vous êtes là, mais il ne doit pas croire qu'on est venues pour se battre.

Jimena et Séréna obéirent, disparaissant dans l'ombre.

– Catty, regarde ! l'avertit Jimena.

Sous les arbres massifs, des ombres mauves s'épaississaient. Les feuilles des branches inférieures frissonnèrent. Soudain, Catty sut qu'elle avait commis une erreur en venant ici avec le faux manuscrit. Elle avait agi impulsivement. C'était stupide. Comment pourrait-elle affronter une créature dont l'aura était assez puissante pour donner vie à un manège ? Elle faisait courir un risque inutile à ses amies, pour de maigres chances de succès. Elle voulut dire à Jimena et Séréna de s'enfuir, mais tout à coup le visage caché dans le bosquet apparut.

Toby sortit du bosquet, déguisé en lycéen, tenant Vanessa par la main. Les lumières tourbillonnantes du manège projetaient sur eux un kaléidoscope infini de couleurs changeantes. Le vent soufflait dans les cheveux de Vanessa, mais Toby, lui, ne broncha pas.

Il s'avança lentement et sans un bruit sur l'herbe sèche, puis s'arrêta devant Catty. Ses yeux ressemblaient à ceux des chevaux de bois : sans chaleur ni lueur, ils se contentaient de voler la lumière pour la refléter.

– Tu l'as, constata-t-il en regardant le manuscrit que Catty tenait à la main – mais sans s'en approcher.

Catty le brandit sous son nez. Tiens ! Est-ce qu'il ne détournait pas le regard ? Avait-il peur à ce point de la malédiction du manuscrit ? Pourquoi donc ? Il semblait tout-puissant.

– Enlève ton amulette lunaire, ordonna-t-il.

Catty hésita. Elle ne la retirait jamais. Était-ce une ruse ? Elle jeta un œil à Vanessa, cherchant une réponse, un indice. Malheureusement, Vanessa ne semblait rien entendre. Perdue dans son monde intérieur, elle n'avait sans doute pas conscience de l'endroit où elle se trouvait. Voyant que Catty hésitait, Toby se pencha et embrassa Vanessa sur la bouche.

Vanessa eut un mouvement de recul.

Toby sourit à Catty :

– Ma splendide déesse de la lune n'apprécie guère mes baisers pour l'instant, mais elle apprendra. N'est-ce pas, Vanessa ? lui demanda-t-il en lui caressant le cou.

Vanessa se mit à trembler.

Catty arracha son amulette :

– Dès que le manuscrit est détruit, tu la laisses partir.

Toby donna un petit coup de coude à Vanessa :

– Va nous attendre sous les arbres.

Obéissante, elle disparut dans l'ombre.

Toby expliqua à Catty :

– Quand la lune se lèvera, tu réfléchiras sa lumière sur le manuscrit à l'aide de ton amulette.

Catty contempla le ciel nocturne. La lune se dressait sur les crêtes des arbres. Elle interrogea Toby du regard puis leva son amulette, réfléchissant la lueur laiteuse de la lune sur le manuscrit. L'espace d'un instant, elle craignit que Toby regarde de plus près et comprenne qu'il ne s'agissait pas du Parchemin secret. À ce moment, le papier se mit à bouillonner et écumer. Elle se détendit.

Finalement, son amulette jeta un rayon de lumière violette, et le manuscrit explosa en un millier de fragments qui tombèrent dans la nuit.

De petites fumerolles blanches s'élevèrent dans les airs.

Toby eut un sourire satisfait.

– Vite ! cria Catty.

Séréna et Jimena sortirent de l'ombre, attrapèrent Vanessa et la ramenèrent.

– On y va ! ordonna Jimena.

Tenant Vanessa par la main, les deux amies étreignirent Catty.

Catty se concentra sur son pouvoir de voyage dans le temps. Il leur fallait s'échapper. Aussitôt, le manège et les arbres disparurent dans un grondement. Un rayon de lumière aveuglant les frappa et elles tombèrent dans le tunnel.

Ouais !! hurla Catty en remettant son amulette. Bien joué !

– On l'a eu ! cria Jimena.

– C'était presque trop facile, ajouta Séréna.

Le regard vitreux, Vanessa ne semblait toujours pas comprendre où elle se trouvait.

– Vous pensez que ça va aller ? demanda Catty, inquiète.

– *Claro*, la rassura Jimena. On va la montrer à Maggie.

Elles s'enfoncèrent dans les profondeurs du tunnel. Soudain, Catty sentit que quelque chose ne tournait pas rond. Elle regarda sa montre. Les aiguilles étaient immobiles. Les Filles de la Lune ne voyageaient plus dans le temps, mais restaient figées. Catty sentit la panique monter en elle. Ce n'était arrivé qu'une seule fois auparavant, quand elle avait voulu remonter trop loin dans le passé.

– Qu'est-ce qui se passe ? demanda Jimena.
– Je ne sais pas, répondit Catty.
Tout à coup, elle sentit une présence. Toby apparut derrière elle, tout sourire.
– Le tunnel est mon royaume, déclara-t-il.
Catty essaya désespérément de quitter le tunnel pour retomber dans le temps, mais son pouvoir ne fonctionnait plus.
Toby comprit ce qu'elle voulait faire :
– Je suis encore plus puissant ici. Vous ne pouvez plus m'échapper.
Catty frissonna. Comment sauver ses amies à présent ? Elle les avait conduites dans un piège.
– Retombe dans le temps, suggéra Jimena.
– Impossible, répondit Catty, il m'en empêche. Son pouvoir est plus grand que le mien.
Le tunnel sembla se réchauffer. Catty sentit des gouttes de sueur couler sur son front.
– C'est toujours aussi chaud, là-dedans ? demanda Séréna.
– Non. C'est Toby. Il est en train de créer une grosse charge électrique.
– Regardez ! s'écria Séréna.
Des étincelles bleue et orange pétillaient sur les murs du tunnel.
– Tu crois qu'il veut nous électrocuter ? s'inquiéta Jimena.
– Pourquoi pas ? fit Catty. Quand il était dans les parages, on prenait toutes des décharges électriques.
– Oui, mais c'était de l'électricité statique, répondit Séréna.
– La foudre, c'est la même chose, expliqua Catty. De l'électricité statique qui se décharge brusquement entre les nuages et le sol.
– Séréna, et si tu pénétrais dans son esprit pour l'arrêter ? demanda Jimena.
– Je vais essayer.

Séréna se concentra. Ses yeux se dilatèrent – et tout à coup, son corps reçut une secousse.

– Aïe !

Le rire de Toby résonna dans le tunnel.

Qu'est-ce qui s'est passé ? demanda Catty.

– Il m'a envoyé une décharge, dit Séréna, surprise. On aurait dit une clôture électrique. Il doit avoir un champ de force protecteur.

Catty regarda Toby. À son sourire, elle comprit qu'il leur préparait une horrible surprise.

Blotties l'une contre l'autre, les quatre amies attendirent la fin.

Chapitre 24

Toby saisit Catty par l'épaule. Ses doigts glacés semblèrent s'enfoncer en elle, la frigorifiant malgré la chaleur.

– Tu croyais vraiment que tu étais la seule à pouvoir t'enfuir dans une autre dimension ? ricana-t-il.

Catty ferma les yeux et tenta une dernière fois de sortir du tunnel. Elle rouvrit les yeux – et se retrouva, étonnée, dans un paysage onirique.

La brume lui léchait les pieds. Elle reconnut la chaîne de montagnes à l'horizon, baignée d'une lueur rosâtre : c'était la même que dans son cauchemar récurrent. Seuls de nombreux éclairs s'ajoutaient au paysage. Catty savait que si elle avançait d'un pas, elle serait engloutie par les sables mouvants. Cela se passait toujours ainsi dans ce rêve qui la terrifiait. Combien de fois s'était-elle réveillée, haletante ? Sauf que cette fois-ci, ce n'était plus un rêve.

Elle se retourna prudemment. Aucune trace de ses amies.

– Jimena ! Séréna ! appela-t-elle.

Ses mots résonnèrent dans un écho étrange, balayant la brume comme s'ils étaient devenus solides.

Personne ne répondit. Catty regarda à nouveau devant elle. Et si elles se trouvaient encore dans le tunnel ? Ou alors, étaient-elles retombées dans le temps ? Pourvu qu'il ne leur arrive rien, pensa Catty.

Devant elle, cachée dans la brume, une créature l'observait. Une créature malveillante. Catty connaissait cette sensation. Elle l'avait déjà éprouvée dans ses rêves : à cause de Toby, ou d'un autre Régulateur ?

Un léger frisson parcourut ses jambes. Catty se prépara au pire. Comment sortir de ce cauchemar ? Il lui fallait trouver une solution. Sinon, ses amies pourraient rester prises au piège dans le tunnel ou pire, se perdre dans une autre époque, sans moyen de revenir au présent – par sa faute.

Pourtant, Catty était éveillée. Elle pouvait agir. Pourquoi ne pas s'enfuir, quitter les sables mouvants ?

Elle fit un pas en arrière, prudemment. Ne rencontrant aucun obstacle, elle enleva rapidement ses bottes et s'élança. Sa course se fit de plus en plus légère. Elle filait comme le vent dans ce monde des rêves. Une bouffée d'optimisme monta en elle. Peut-être réussirait-elle à modifier le cours des choses. En se concentrant, parviendrait-elle à créer une ouverture dans le rêve, pour revenir au tunnel ?

Tout à coup, la foudre tomba, déchirant l'air devant elle. Des visages effrayants se formèrent et jaillirent autour d'elle. Elle voulut passer au travers, mais ils la repoussèrent vers les sables mouvants. S'agissait-il des Régulateurs, avec leur apparence véritable ? Elle lutta contre leurs silhouettes déformées, mais pour finir, elle dut céder devant leur puissance.

Repoussée de plus en plus près des sables mouvants bouillonnants, Catty tenta de se convaincre que tout cela était seulement une illusion, même si elle était éveillée. Rien ne pouvait lui faire du mal, en réalité.

Elle ne se trouvait plus qu'à un pas des sables mouvants. Son cœur battait à tout rompre. Allait-elle y être engloutie ?

Comme pour répondre à sa question, Toby surgit à côté d'elle.

– Je suis venu voir ta fin.

Il avait complètement abandonné son déguisement. Ses yeux maléfiques brillaient cruellement dans son visage déformé.

– Ce n'est pas un rêve, Catty, ricana-t-il. Si tu tombes dans les sables mouvants, tu mourras.

Catty sentait déjà l'eau froide et marécageuse lui lécher les orteils.

Elle essaya de rester absolument immobile, mais ses pieds semblaient animés d'une vie propre.

– Encore un pas, lui intima Toby.

Ses pieds avancèrent de quelques centimètres, contre sa volonté. L'eau et le sable engloutirent ses orteils, remontant jusqu'à ses chevilles. Catty se mit aussitôt à couler, comme elle l'avait vécu tant de fois en rêve.

Bientôt, elle eut de l'eau boueuse jusqu'aux genoux, puis aux cuisses.

Son corps se tendit, lançant en silence un cri douloureux. Elle ferma les yeux de toutes ses forces pour ne plus voir ce cauchemar, et attendit la mort.

Elle pensa au manuscrit. Au moins, il n'avait pas été détruit. Il serait en sécurité jusqu'à la naissance d'un nouvel héritier. C'était là sa seule réussite. Pour le reste, elle avait lamentablement échoué. Si seulement Séréna, Jimena et Vanessa pouvaient avoir la vie sauve.

Brusquement, Toby la saisit par le bras :

– Qu'est-ce que tu as dit ?

Il lui avait parlé à l'oreille. Elle détourna le visage de son haleine fétide.

– Rien, dit-elle, en regardant avec horreur le sol spongieux l'engloutir encore davantage, tandis que la boue sableuse clapotait sur ses cuisses.

– Le manuscrit ! hurla Toby, désespéré. Tu as parlé du manuscrit !

– Non.

– On peut lire les pensées dans les rêves. Tu as dit « au moins, le manuscrit n'a pas été détrui ».

Les yeux monstrueux de Toby s'embrasèrent. Stupéfaite, Catty le vit déchirer le paysage onirique.

Elle se retrouva tout à coup dans le tunnel, avec Jimena et Séréna.

– Qu'est-ce qui s'est passé ? demanda Jimena.

– Il m'a entraînée dans un rêve, répondit Catty.

Avant qu'elle ait pu ajouter un mot, elles retombèrent dans le temps.

Toby était fou de rage. Il réussit quand même à reprendre son déguisement de lycéen.

– Où on est ? demanda Jimena en regardant autour d'elle.

– Ça a l'air normal, ici, répondit Catty en examinant l'endroit planté d'eucalyptus. On est sans doute revenues à Griffith Park.

Pourtant, l'air était trop lourd, et le silence trop parfait.

– Et si on était dans un autre rêve ? dit Séréna.

D'énormes éclairs de chaleur déchirèrent le ciel nocturne. Un tonnerre assourdissant s'ensuivit, faisant trembler le sol.

– Je ne sais pas, admit Catty.

Elle aperçut Vanessa gisant sur le sol. Elle s'agenouilla à ses côtés et commença à la bercer. À la lueur de la foudre, le visage de Vanessa semblait d'une pâleur mortelle. Ses yeux regardaient dans le vague, son pouls semblait faible et lent.

Catty vit Toby qui faisait rageusement les cent pas devant elle. Rien ne m'enlèvera Vanessa, pensa Catty. Ni la mort, ni Toby. Au moment où elle se faisait ce serment, elle sentit Vanessa faiblir et partir. Elle lui caressa les cheveux.

Toby se pencha sur elle.

Chapitre 25

– J'ai compris ta ruse, déclara-t-il.

Catty ne répondit rien, paralysée par la peur, non pour elle-même, mais pour Vanessa.

Toby reprit, d'une voix aux inflexions mortelles :

– Tu n'as pas détruit le Parchemin secret.

– Mais si, mentit Catty.

– C'était un faux.

Il lui arracha Vanessa des bras. Catty se jeta sur lui. Des étincelles d'électricité la brûlèrent, mais elle ne recula pas.

– Avoue ! ordonna-t-il.

– Laisse Vanessa partir avec Séréna et Jimena, et je te dirai tout, répondit-elle.

Il sourit d'un air moqueur, comme amusé par son courage. Il lâcha Vanessa, qui s'effondra au sol. Jimena et Séréna vinrent la chercher.

– J'ai pris un autre manuscrit ancien et je l'ai peint pour qu'il ressemble au parchemin, reconnut Catty. Je savais que tu n'irais pas le regarder de près.

Ses yeux s'étrécirent – mais Catty y vit une lueur d'inquiétude.

– Emmène-moi au vrai manuscrit, ordonna-t-il sur un ton plus calme.

– Et comment ? Je ne sais même pas où nous sommes.

– Où est-il ? demanda Toby.

– Chez moi, répondit Catty, en espérant que Kendra dormait encore. Elle ne voulait pas la mêler à tout ça.

Toby lui posa la main sur l'épaule.

– Prends tes amies par la main, ordonna-t-il.

La foudre tomba autour d'eux. Ils s'élevèrent dans un maelström de lumière blanche, et se retrouvèrent rapidement dans l'arrière-cour de Catty.

– Va chercher le manuscrit, gronda Toby. Le bon. Et pas d'embrouille.

Il serra une main menaçante autour du cou de Vanessa.

– Compris, souffla Catty.

Elle fila à la maison. En traversant le patio, elle se souvint de ce que Maggie leur avait expliqué. Les Régulateurs craignaient le manuscrit. Il devait y avoir une bonne raison, plus qu'une simple malédiction. Si la Voie du Manuscrit décrivait la manière de vaincre l'Atrox, il devait sans doute expliquer aussi comment détruire les Régulateurs.

Catty grimpa l'escalier quatre à quatre, le cœur plein d'un espoir nouveau. Le manuscrit les protégerait-il ?

Elle entra dans sa chambre et se dirigea vers son bureau.

Le parchemin avait disparu.

Kendra l'avait-elle emporté dans sa chambre ? Et si elle avait essayé de le détruire elle-même ? Cela lui ressemblerait bien.

Catty fila chez Kendra et s'arrêta pour écouter à la porte. Un lampadaire jetait une faible lueur orange dans le couloir. Catty entra en silence, le bruit de ses pas étouffé par l'épais tapis d'Orient, et s'assit au bord du lit. Kendra respirait avec peine. Elle ouvrit les yeux et lui sourit faiblement. Catty comprit aussitôt que son état empirait.

– J'ai besoin du manuscrit, Kendra, dit-elle doucement. Où est-il ?

– Dans la cuisine, répondit péniblement Kendra. Je vérifiais mes traductions. Je voulais découvrir un indice.

Tout à coup, Catty se rappela l'incantation qu'avait prononcée Kendra la nuit d'avant. Ce devait être la réponse.

Elle voulut lui poser la question, mais Kendra était retombée dans un sommeil profond.

Elle courut à la cuisine et parcourut rapidement les pages de notes éparpillées sur la table. Elle trouva enfin ce qu'elle cherchait. Les mots étaient soulignés de rouge. C'était bien ça.

Elle les lut et relut rapidement, puis saisit le manuscrit et sortit affronter Toby.

Chapitre 26

Catty s'avança, brandissant le Parchemin secret comme Kendra l'avait fait la nuit d'avant.

Toby la regarda s'approcher, un sourire de triomphe sur le visage – qui s'effaça aussitôt quand Catty se mit à parler.

– *Demere personam tuam atque ad dominum tuum se referre.*

Catty prononça l'incantation à haute et intelligible voix. Les mots la remplirent de leur puissance, et le parchemin sembla s'animer, sa force palpitant en elle.

Toby hésita, puis recula lentement, des étincelles bleuâtres flottant autour de lui.

Catty voulut répéter l'incantation, mais des nuages blancs apparurent dans son champ de vision. Allait-il à nouveau l'entraîner dans un rêve ? Elle frissonna. Dans ce paysage onirique, il était le maître. Une fois là-bas, il pourrait la forcer à détruire le parchemin.

Elle voulut reprendre sa formule magique, mais sa voix ne réagissait plus. Ses lèvres refusaient de bouger.

Sa vision s'éclaircit soudain. Elle était revenue dans le même cauchemar. Les montagnes aux arêtes déchiquetées apparaissaient clairement à l'horizon. Toby apparut dans les tourbillons de brume.

– Tu ne pourras jamais utiliser cette incantation dans mon monde, dit-il avec un sourire effrayant. Détruis le parchemin.

– Je ne le détruirai pas, répondit Catty d'un ton résolu.

De sa main libre, elle chercha son amulette. Tout à coup, une vive douleur lui transperça le dos. Elle regarda Toby d'un air accusateur, mais il semblait aussi étonné qu'elle.

Catty reçut un autre coup de poignard. À ce moment, le rêve se brisa comme un millier d'oiseaux prenant leur envol.

Elle ouvrit les yeux. Elle se tenait dans son jardin, le manuscrit à la main. Jimena et Séréna la tenaient par le bras.

– Désolée, dit Jimena avec un sourire sournois. J'ai été obligée de te frapper...

– On s'est dit que la douleur te sortirait de ta transe, expliqua Séréna en lui massant le dos.

– Heu... merci. (Catty sourit malgré la douleur.) Vite, reprit-elle en leur montrant le manuscrit. Si on dit l'incantation ensemble, elle aura peut-être plus de puissance.

Elles répétèrent en chœur la formule :

– *Demere personam tuam atque ad dominum tuum se referre.*

Un éclair blanc les aveugla, projetant une lumière étrange, suivi d'un autre, qui engloutit Toby.

– Ça y est ! hurla Séréna.

– Attends... fit Catty. Je sens un truc bizarre...

Elle comprit soudain. Elles n'avaient pas détruit Toby. Il s'enfuyait par le tunnel.

Avant qu'elles aient pu réagir, Toby saisit Vanessa et l'entraîna avec lui.

– Non ! hurla Catty.

– Suivons-le ! cria Jimena.

– Tenez-vous à moi, ordonna Catty.

Jimena et Séréna obéirent. Catty ouvrit le tunnel. Elles y pénétrèrent juste derrière Toby et Vanessa. Catty fonçait à une vitesse dangereuse, mais il fallait les rattraper. Elle ne pouvait pas remonter dans le temps aussi loin que Toby : pour sauver Vanessa, elle devait agir tout de suite.

– Répétons l'incantation, lança-t-elle en brandissant le parchemin.

Elles prononcèrent les paroles magiques à plusieurs reprises. Jimena s'arrêta :

– Regardez !

L'apparence de Toby se modifiait. Ses traits se déformaient, se dissolvaient. Sa bouche s'étira en une plaie cruelle, recouverte de tissu cicatriciel. Son nez disparut, remplacé par deux orifices cartilagineux. Il s'effondra, la respiration rauque. Ce qui restait de lui tomba dans un profond sommeil. Il commença alors à rouler vers le fond du tunnel, emportant Vanessa avec lui.

– Il faut sauver Vanessa ! cria Jimena. Rattrape-le !

– Je ne sais pas si j'y arriverai, répondit Catty en puisant dans ses dernières forces.

– Essaye ! hurla Séréna.

Vanessa fit un mouvement.

– Vanessa ! cria Catty.

Vanessa lui jeta un regard vague, puis regarda autour d'elle, ébahie. Elle reprit conscience de son environnement. En voyant la créature monstrueuse qui la tenait, elle poussa un cri d'effroi. Elle lutta pour se libérer, mais les mains griffues la tenaient fermement. Elle tendit la main à Catty.

Catty attrapa son amie et l'arracha à Toby. Le manuscrit tomba.

Jimena voulut le reprendre.

– Non ! cria Catty. Si tu me lâches, tu disparaîtras dans le temps, et qui sait où tu atterriras !

– Tu aurais pu nous le dire plus tôt… frissonna Séréna en lui agrippant le bras.

Elles regardèrent le Parchemin secret tomber dans le vide, puis s'évanouir. Enfin, elles retombèrent dans le temps.

– Où sommes-nous ? demanda Séréna en regardant autour d'elle. J'espère qu'on est dans la réalité, et pas dans un rêve.

Chapitre 27

Catty leva les yeux et vit le panneau HOLLYWOOD.

– Ouf, on est à Los Angeles, soupira-t-elle.

– Oui, mais quand ? demanda Jimena.

– Oui, reprit Séréna, quel jour sommes-nous ?

Catty regarda le dateur de sa montre :

– C'est la même nuit.

– Super ! On pourra prendre la voiture, dit Séréna.

– Et si on allait manger ? *Tengo hambre*, ajouta Jimena.

– Et si quelqu'un me racontait ce qui s'est passé ? demanda Vanessa. C'était quoi, ce monstre ?

– Dis-lui, toi, fit Séréna à Catty.

– C'est une longue histoire, commença Catty.

Une heure plus tard, elles étaient dans la voiture de Jimena, en train de traverser le parc. Elles avaient baissé les vitres pour profiter de l'air frais, chargé de senteurs de pin et d'eucalyptus. Les incendies étaient éteints, et les vents du large avaient balayé la fumée.

– J'ai failli nous détruire toutes, remarqua Vanessa. Rien ne serait arrivé si je n'avais pas essayé de rendre Michael jaloux. Beurk ! À quoi il ressemblait vraiment, Toby ?

– À un monstre pourri, répondit Catty. J'ai essayé de te le dire.

– On a toutes essayé, ajouta Jimena.

– Au moins, dites-moi que je ne l'ai pas embrassé quand il était comme ça.

– Si, tu l'as embrassé, la taquina Catty.

– Pas possible !
– Si, c'est possible, s'amusa Séréna.
– Avec la langue, ajouta Jimena, réjouie.
– Je me demande ce que Michael fait ce soir ? se demanda Vanessa. J'espère que je ne l'ai pas rendu trop jaloux…
Elles éclatèrent de rire.
– Moi, j'ai mon grand amour, chantonna Jimena. Collin *es mi todo*. Encore deux jours, et il reviendra de Hawaii.
– Moi aussi j'avais mon copain, soupira Catty. Tant pis.
– Tu ne vas pas rompre avec Chris, non ? demanda Séréna.
– Il est super, dit Jimena. Tu le regretterais.
– Attendez de connaître la vérité sur Chris… intervint Vanessa, la mine rusée.
– Qu'est-ce qu'il y a encore ? demanda Séréna.
– Eh bien, pour commencer, il est vieux de quelques siècles, répliqua Vanessa.
Catty leur expliqua tout.

En arrivant chez elle, Catty trouva Kendra assise à la table de la cuisine dans sa robe de chambre et ses grosses pantoufles.
– J'ai dû délirer, dit-elle. J'espère que je ne t'ai pas fait peur.
– Non.
Kendra lui montra les papiers sur la table :
– Tu ne croiras jamais ce que j'ai cru lire dans ce manuscrit.
Elle s'arrêta et lui lança un regard inquiet :
– Tout est vrai, n'est-ce pas ?
Catty hésita. Fallait-il lui dire la vérité ?
Elle commença à parler. Il y avait encore bien des choses qu'elle ne comprenait pas, mais ce qu'elle savait, elle le lui dit.

Chapitre 28

Lundi, après les cours, Catty rentra chez elle, accablée par le souvenir de ce qu'elle avait vécu. Malgré la réalité des événements de ces derniers jours, elle éprouvait toujours la sensation d'avoir vécu un cauchemar. Elle avait mal dormi et se sentait fatiguée. Elle se demanda si désormais, elle aurait peur de rêver.

Les ombres s'étirèrent, comme animées par le soleil couchant. Catty jeta un regard par-dessus son épaule : nulle menace ne rôdait dans le noir. Toby et le manuscrit avaient disparu. Elle était en sécurité.

Elle crut entendre un bruit de pas dans la cuisine. Elle tendit l'oreille, aux aguets. Elle entrevit un mouvement.

Chris entra dans la pièce, baigné par la lueur du crépuscule. Son sourire la ravit. Il était superbe, et pourtant, il avait changé : elle percevait en lui une assurance, une force qu'il n'avait plus à dissimuler.

– Je ne peux pas rester longtemps, dit-il. Il faut que je retrouve le manuscrit.

– Je suis désolée. Tout est de ma faute.

– Désolée ? Pourquoi ? Tu as protégé le parchemin et sauvé Vanessa. Tu as fait ce qu'il fallait faire.

Il la regarda avec passion, et elle sut qu'il tenait à elle autant qu'elle tenait à lui. C'était plus que cela : une amitié profonde, bâtie sur un respect mutuel. Tristement, elle comprit que toute relation était impossible.

Elle savait aussi qu'elle voulait un dernier baiser. Elle s'approcha de lui. Oserait-elle l'embrasser ?

Il se leva brusquement. Elle s'écarta.

– Désolée, murmura-t-elle, rougissante.

– Désolée pour quoi, cette fois-ci ? lui demanda-t-il tendrement en l'attirant à lui. Il lui sourit, d'un sourire chaleureux mais empreint de tristesse.

Catty soupira. Elle ne retrouverait plus quelqu'un d'aussi parfait. Il lui caressa les cheveux.

– Un jour, nous nous retrouverons, chuchota-t-il, et elle sut que ce n'était pas un vœu, mais une promesse.

Ses lèvres se posèrent sur les siennes.

– Un jour, murmura-t-elle.

Déjà parus

LYNNE EWING
Les filles de la Lune
Les Ombres de la nuit

LYNNE EWING
Les filles de la Lune
Déesse de la nuit

LYNNE EWING
Les filles de la Lune
Dans le froid de l'enfer

Impression réalisée sur CAMERON
par BRODARD ET TAUPIN
La Flèche
en avril 2005

Imprimé en France
Dépôt légal : avril 2005
N° d'impression : 29490